著者による
実演指導77分
DVD付

キレイにやせる自力整体

矢上 裕

新星出版社

手に入れたい！ クビレたウエスト

たるんだウエストの原因は、骨盤のゆがみと睡眠前後の食事。
この習慣をやめ、骨盤を整えればメリハリボディのできあがり。

➡ P. 38

深層筋マッサージ

P.68参照 1-2

1
両手をおなかの前で組み
息を吐きながら、アゴを前
へ突き出すように。

Points
凝って硬くなっているところ
を探して何度も左右にゆす
ってほぐす。

2
後ろへのけぞり、
ノドを伸ばす。

3
おでこを床へつけ、右の手のひらを左
へ押し込み、お尻は右へ。逆に左手
を押し込んだときはお尻を左へ。

骨盤のゆがみ治し（右）

P.104参照 6-1

1 あおむけになり、両足裏にタオルを引っかけて、腰を前後にゆする。

2 左脚を床に下ろして、右手だけでタオルをつかみ、

3 右脚を横に開き、左腕は頭上へまっすぐ伸ばして左脚を軽くゆする。

Points

左の骨盤に効くように、左脚を細かくゆする。

4 タオルを左手に持ち替えて、

5 右手を横に広げ、右脚を左側へ倒す。

反対側も同様に行う

肩コリ知らずの快適生活を手に入れよう!

肩コリ・頭痛の原因は胃。食べ過ぎに注意して、肩甲骨をほぐす。
同時に股《こ》関《かん》節《せつ》もほぐせば、たちまち肩コリ・頭痛知らずに。

➡ P. 62

肩甲骨ほぐし

P.82参照 2-4

1 四つんばいになり、ヒジを直角に曲げて肩甲骨をゆする。

Points
前後左右に肩を動かしてほぐす。

2 おでこを床につけて、肩甲骨の内側をほぐす。

3 髪の毛の生え際を床へつけ、軽くバウンド。

Points
肩甲骨の内側のコリに効くようにバウンド。

腰・股関節ほぐし

P.70参照 1-4

1 四つんばいになって、左脚を横に伸ばし、左手を左ヒザに当て、左脚の屈伸を繰り返し、股関節をほぐす。

Points

屈伸はゆっくり行う。

Points

カラダをゆすりながら、腰や股関節をほぐす。

2 左手を下へすべらせ足首をつかみ、頭を床につけ、腰や股関節をほぐす。

反対側も同様に行う

太もも・足首を細くしたい！

太ももや足首が太いのは、骨盤がゆがみ内股《うちまた》になっているから。
適度にほぐして刺激して、憧れの美脚を実現しましょう。

➡ P. 40

内股ほぐし（左）

P.91参照 3-5

1

左脚を横に伸ばして座り、両手でヒザを押さえて骨盤を左右にゆする。

2

カラダを左斜め前に倒して左方向にゆする。

注 痛くしないように

反対側も同様に行う

ツンとした上向きの**美しいバスト**を目指せ!

だれもがうらやむバストを手に入れるには、まず猫背を正しましょう。
キレイな姿勢が美しいバストを作ります。

➡ P. 52

両ワキ伸ばし

P.83参照 2-5

1 四つんばいになり、上体を前方に伸ばして、アゴをだしながらノドを伸ばす。

2 胸を下げておでこを床につけ、左右のワキを交互に床に近づけて伸ばす。

Points

左右交互にゆっくり時間をかけて。

靴下いらず手袋いらずの温かい手足が欲しい!

筋肉が少ないから？　むくんでいるから？　冷えの主な原因は
血管・リンパ管の詰まり。足の周りを丹念にほぐしましょう。

→ P. 56

足の裏踏み

P.89参照 3-4

1

左足の土踏まずをかかとで踏み、両手で右ヒザを回して刺激する。

2

左手を床について左ヒザを軽く浮かせ、

Points

凝って硬くなっているところを探してほぐす。

3

右手で左ヒザをつかんで胸へ引きつける。

4

つかんだヒザを床に下ろし、右のヒザを前に突き出す。

Points

右足のアキレス腱《けん》を伸ばす。

反対側も同様に行う

スッキリ排便で毎日をさわやかに

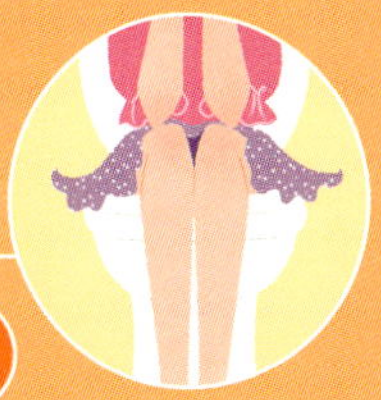

不規則な生活は美容・健康の敵。でも、規則正しいのに便秘気味？ツボを刺激して大腸の働きを活発にしましょう。

➡ P. 58

足のツボ刺激

P.88参照 3-3

1 左足の裏に右かかとを当て、

反対側も同様に行う

2 体重をかけて足の指のつけ根あたりを踏む。

Points

指と指のあいだを親指〜小指まで順番に踏む。

スラッとした美脚を手に入れよう!

O脚は股《こ》関節《かんせつ》が硬い人に多く、十分にほぐせばスラッとした脚線美に近づきます。でも、正しい座りや歩きもつねに意識して。

➡ P. 42

開脚股関節ほぐし

P.92参照 4-1

1 両脚を横に開いて座り、

Points

股関節の硬いところをマッサージするように。

2 カラダを前後にゆらし、股関節をほぐす。

注 痛くしないように

3 両ヒジを床につけて上体を前へ倒し、前後に骨盤をゆする。

はじめに

キレイも健康も自力で手に入れられます！

カラダのゆがみを治せば、なりたい自分になれる！　なんといっても、これが一番この本で伝えたいことです。

自分が思っている理想のプロポーションや、コリ・痛み・病気のない健康なカラダを手に入れることは夢ではありません。

これらは自力整体・整食・整心法を学び、ご自分のものとしていただければ実現できるのです。

そんなことといったって、

- **運動しなければ痩《や》せられない**
- **カロリー制限しなければ痩せられない**
- **痛みは治療しないと治らない**
- **病気は薬を使わないと治らない**

と、お考えの方はたくさんいらっしゃるでしょう。

実は、私も以前は、「運動しなければ痩せられない」と思っていました。そしてカラダにとって、ウオーキングはすごくいいことだと思っていたのです。

事実、私の自宅がある兵庫県の西宮から、私が教えている自力整体教室のある尼崎や芦屋まで、いつも歩いて通っていました。自力整体の創始者として、生徒たちの見本とならなければいけないと思い、「鍛えて、太らないように」とウオーキングに励んでいました。毎週トータルで45キロメートルのウオーキングを、自分の課題としていたのです。そんな私ですから、当時の生徒さんにも〝歩くことは大切〟とうったえ、「歩きの会」を主宰していたほどです。

しかし、あるとき「こんなに一生懸命、歩いていたら、筋肉が疲れて疲労するのでは？　かえって健康に悪いのでは？」と思ったのです。

そして、その日からウオーキングや、日々の暮らしのなかで頑張ることをやめました。

すると、数週間後に大きな変化がありました。

それは体脂肪が減ったこと、そしてカラダが引き締まったことです。

いままで「運動するから脂肪が燃えて痩せる」と思い込んでいましたが、それは間違いだったのです。

また、筋肉も疲労しないため、カラダのコリも格段に少なくなりました。

そのため、私は生徒たちに「運動をやめよう！　頑張るのをやめよう！」と提案しました。

すると、たくさんの方のカラダも私と同様に変化していったのです。

その実例として、体験者の声をいくつかご紹介します。

●半年で体重7キログラム減、ウエスト8センチメートル減。服は2サイズダウンし、おしゃれが楽しめるようになりました。

→［熊本県　陣内松子さん：113ページ］

●3カ月で10キログラム減。その後、時間をかけてさらに8キログラム減。

→［福岡県　中村佳津子さん：117ページ］

●5～10歳も若く見られます。

→［茨城県　安倍京子さん：112ページ］

●不眠症だった私が、いまではすぐに眠れます。

→［香川県　林奈智子さん：116ページ］

このような例は、全国３００か所、９０００人以上いる自力整体教室の先生や生徒さんから、現在もどんどん報告されています。

「頑張らないで太らないなら、大変なカロリー制限をしたのでは？」とお思いの方がいらっしゃるかもしれません。でも、自力整体・整食・整心法は、食事のカロリー制限などしません。またお酒・タバコの禁止などもありません。

ですから、気楽に、手軽に実践することができるのです。

こんなちょっと世間の常識とは違った自力整体・整食・整心法ですが、上記のように体験者から喜びの声がたくさん届いているのも事実です。

一度あなたも、付属ＤＶＤとともに自力整体をトライしてみてください。そして自力整体・整食・整心法の世界を体験してみてください。

きっとあなたのカラダは喜び、あなたの思う理想のプロポーションや、スベスベしたお肌、そして、コリ・痛みのない〝真の健康〟を手に入れることができるでしょう。

Contents

キレイにやせる自力整体

LESSON 2

ゆがみをとって理想のプロポーションに！

LESSON 3

ゆがみをとって健康的なカラダに！

Contents

●書籍制作
モデル／矢上 真理恵
イラスト／ひらた・けろ（crapheadz graphix）
デザイン・DTP／白石 朋子[TASTY DESiGN]
ヘアー&メイク／河口 ナオ[LIPS山田奈生子ヘアメイク事務所]
写真撮影／畠中 俊洋[(有)ケイフォトサービス]
編集協力／(有)クラップス

●DVD制作
モデル／矢上 裕／矢上 真理恵
ヘアー&メイク／河口 ナオ[LIPS山田奈生子ヘアメイク事務所]
メニューデザイン／白石 朋子[TASTY DESiGN]
撮　影／(株)マリポーサ カンパニー
選曲・MA／協映
制作協力／(有)BLACKOUT／(有)クラップス

付属DVDの使い方

メインメニュー画面

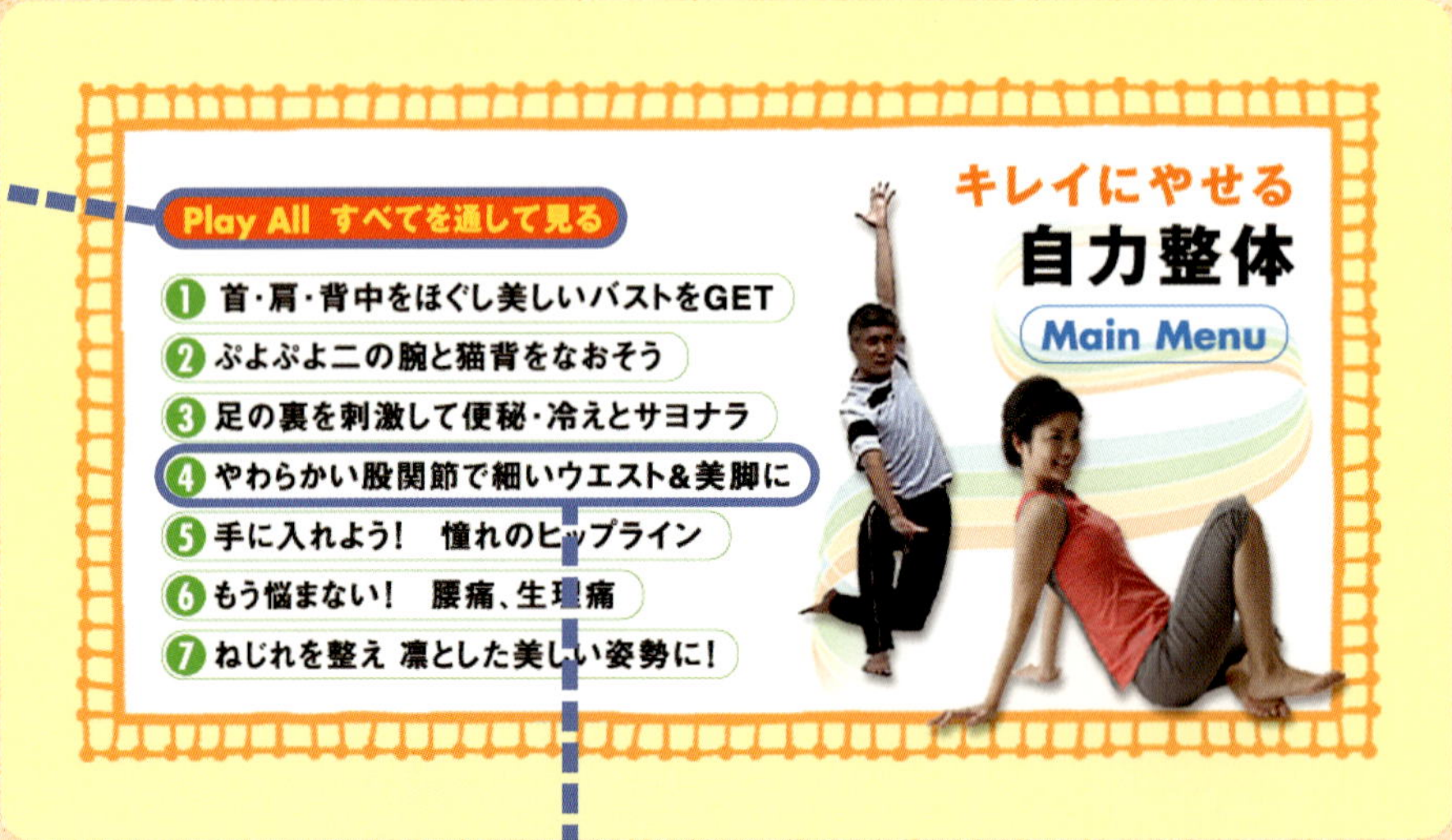

サブメニュー画面

サブメニューが表示されます。

メインメニューへ戻ります。

【4—1】から【4—12】までの
実技を通して見ることができます。

【4—10 横座り骨盤ねじり(左)】の
実技が見られます。

実技画面【1―7】

メインメニューの【Play All すべてを通して見る】を選択すれば、すべての実技を最初から順番に見ることができます。

本DVD内のメニューは、本書「第4章　自力整体をやってみよう!」の各実技に対応しています。気になる部分を読みながら、見ながらじっくり行ってください。なお、本書の マークの上の数字は、DVDのサブメニューに表記した数字と連動しています。

本書【第4章 1―7】

DVDの視聴のしかた

～ 手 順 ～

❶ DVDプレーヤーに、ディスクを正しくセットしてください。

❷ DVDプレーヤーの取り扱いについては、ご使用になるプレーヤーの説明書をご覧ください。

❸ 自動的にオープニングムービーが再生されます。

❹ オープニングムービー終了後、メインメニューが表示されます。

❺ DVDプレーヤーのリモコンにある▲▼◀▶（カーソル）ボタンを押し、メニューに表示された項目のなかからご覧になりたい項目を選択して、[決定]（または[再生]）ボタンを押してください。

～ 取扱い上の注意 ～

DVDをご使用になる前にお読みください。

[取り扱い上のご注意]

●ディスクは両面とも指紋、汚れ、傷などをつけないように取り扱ってください。またディスクに大きな負荷がかかると、データの読み取りに支障をきたす場合もありますのでご注意ください。

●ディスクが汚れたときは、メガネふきのようなやわらかい布を軽く水で湿らせ、内側から外側に向かって放射線状に軽く拭き取ってください。レコード用クリーナーや溶剤などは使用しないでください。

●ディスクは両面とも、鉛筆、ボールペン、油性ペンなどで文字や絵を書いたり、シールなどを貼付しないでください。

●ひび割れや変形、または接着剤で補修されたディスクは危険ですから、絶対に使用しないでください。また静電気防止剤やスプレーなどの使用は、ひび割れの原因となることがあります。

●使用後は必ずプレーヤーから取り出し、袋に入れてから専用ケースに収めて保管してください。

●直射日光の当たる場所や、高温、多湿の場所には保管しないでください。※このディスクは、家庭内での私的鑑賞にのみご使用ください。本DVDビデオおよびパッケージは著作権上の保護を受けております。ディスクに収録されているものの一部でも、権利者に無断で複製・改変・転売・放送・インターネットによる配信・上映・レンタル(有償・無償を問わず)することは法律で固く禁じられています。

●DVDビデオは、映像と音声を高密度に記録したディスクです。DVDビデオ対応プレーヤーで再生してください。DVDドライブ付きのパソコンやゲーム機などの一部の機種で再生できない場合があります。

※詳しくは、ご使用になるプレーヤーおよびモニター(テレビやパソコンなど)の取り扱い説明書をご参照ください。

LESSON 1

キレイ・ダイエット・健康のカナメは「骨盤」

ゆがみがあるとカラダはどうなるの？

いくら運動しても、一生懸命カロリー制限をしても痩《や》せられない理由はゆがんでいるからです。

前後のゆがみと左右のゆがみ

あなたはカラダの〝ゆがみ〟を感じたことがありますか？

〝ゆがみ〟があるカラダとは、前後左右にバランスがとれていないカラダのこと。

ゆがみには、前後のゆがみと左右のゆがみがあります。

まず、前後のゆがみから見ていきましょう。腰が前に曲がっている「腰曲がりタイプ」の人は、胃腸が弱く、カラダが冷えています。猫背体型の人に多いタイプです。

反対に腰が後ろに反っている「反り腰タイプ」の人は、太りやすい傾向が。ポッコリおなかや下半身太りの人がその代表です。

そして、そのような前後のゆがみがある人に、左右のゆがみが加わると、カラダに痛みが起こるのです。

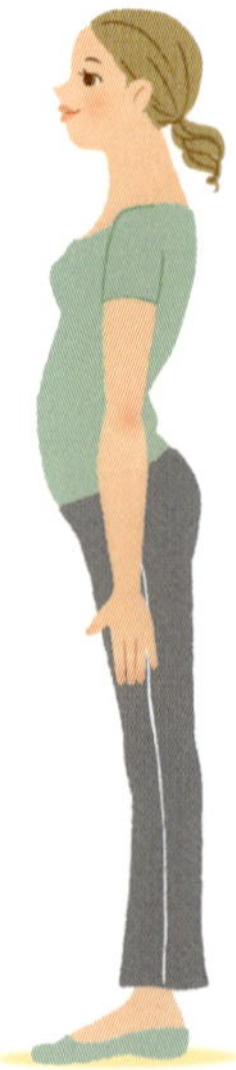

反り腰タイプ

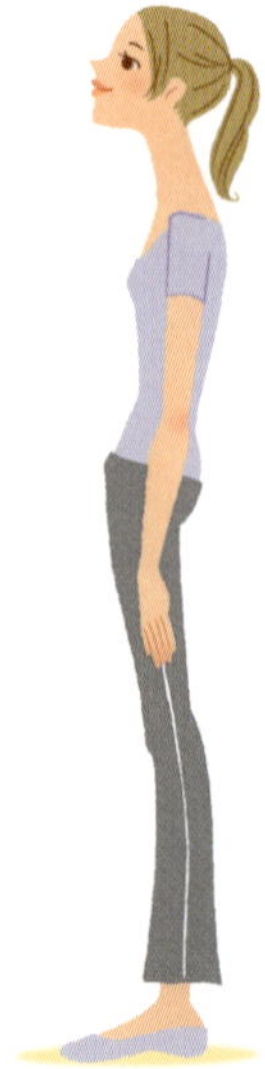

腰曲がりタイプ

たとえば、

- 靴のカカトのすり減り方が左右でちがう
- 眠るときいつも同じ方向に首が向いている
- 座って脚を組むとき、いつも同じ脚が上にくる
- 自分の写真を見ると、左右どちらかの肩が下がっている
- 同じ側の脚に体重を乗せて立っていることが多い
- バッグをいつも同じ側の手（肩）で持っている

といったことが思い当たる人、それはあなたのカラダが左右にゆがんでいる証拠です。

ゆがみとカラダの悩みの切っても切れない関係

カラダがゆがむことの根元の原因は、カラダの基盤となっている「骨盤」がゆがむため。

骨盤がゆがむと、あなたのカラダのラインは崩れてしまいます。もうすでにゆがんでいる人は、現時点で自分の理想とかけ離れたプロポーションになってしまっているかもしれません。

たとえば、下半身太りやポッコリおなか、ずん胴のウエスト。これらはすべて日本人に多い症状ですが、原因はやっぱり骨盤のゆがみ。また、垂《た》れたお尻やO脚なども、もとを正せば骨盤のゆがみからきています。

そして、骨盤がゆがんでいると、カラダのいろいろなところにコリや痛みとなってあらわれます。

肩コリや腰痛、便秘、生理の激しい痛みなどがその代表でしょう。

ゆがみとカラダの悩みのメカニズム

カラダの基盤である骨盤がゆがんでいると、カラダのいろいろなところがゆがみ、血液やリンパ液の通り道を邪魔します。

血液の通り道である血管、とくに毛細血管は、カラダ中の筋肉に栄養を与える重要な役割を持っていますが、カラダがゆがんでいると、それらは詰まってしまいます。

また、不要なものを取り除くパイプの役割を果たすリンパ管も詰まってしまいます。

その結果、内臓脂肪や皮下脂肪、むくみ、滞留便《たいりゅうべん》（宿便）などの老廃物がカラダに溜《た》まってしまうのです。

老廃物のひとつである〝ぜい肉〟という脂肪は、下半身太りやポッコリおなか、二重アゴとなってあらわれ、肌のくすみなどになります。

そして、老廃物が排泄《はいせつ》できないと、さまざまなところにコリが生まれます。それがさらに悪化すると痛みとなるのです。

まず知ろう！美容・健康の大敵 あなたの「ゆがみ」

そもそも「カラダがゆがむ」って、どういうこと？
「美」への道もまず敵を知ることから。

ゆがみのないカラダ まっすぐなカラダ

ゆがみのないカラダのことを「整体」といいます。

整体とは、カラダの左右のバランスがとれていることにプラスして、前後にもアンバランスがないことです。

カラダには真ん中に背骨が通っていますが、整体とはこの背骨がまっすぐの状態のことです。

背骨が曲がる理由は、それを支えている骨盤がゆがむから。

背骨は骨盤の上に乗っかっていて、骨盤がその背骨を支えていると考えてください。

だから、骨盤が整っていれば、それに支えられている背骨は、そのうちに自然とまっすぐになっていくのです。

つまり、整体になるためには、骨盤がまっすぐになっていて、ゆがんでいないことが重要なのです。

骨盤がゆるむ？ 骨盤がゆがむ？

では、「骨盤がゆがむ」とはどういった状態のことでしょうか？

次ページのイラストを見てください。

背骨には、「骨盤、肩甲骨、頭《ず》蓋骨《がいこつ》」の3つの骨がくっついています。

一般的に、骨盤はひとつの大きな骨と考えられていますが、整体師のあいだでは、左右の一対の骨がくっついていると考えられています。つまり、右の骨盤と左の骨盤があって、それが合体しているという考えです。

肩甲骨や頭蓋骨も同じです。右の肩甲骨と左の肩甲骨、右の頭蓋骨と左の頭蓋骨があり、それが合体していると考えられています。

そして、整体師はその考えをもとに患者さんを治療しているのです。

また、左右の骨盤がくっついて

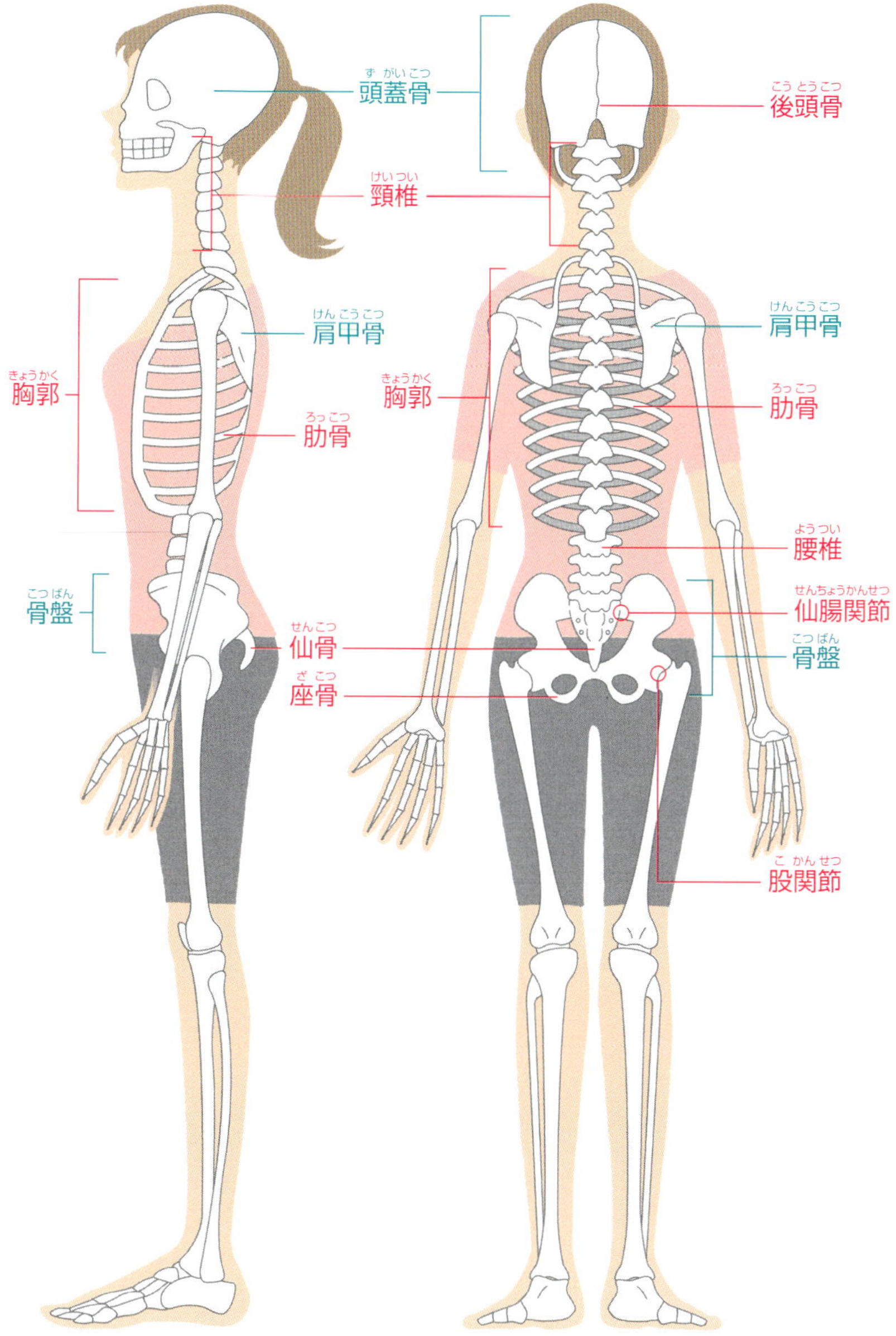

いる部分のことを「仙腸関節《せんちょうかんせつ》」と呼び、頭蓋骨がくっついている部分を「後頭骨《こうとうこつ》」と呼びます。ちなみに「肋骨《ろっこつ》」は、背骨の一部が伸びたものです。

そして、この左右の骨盤の合体がゆるい場合、つまり背骨から離れていることを「骨盤がゆるんでいる」というように表現しています。反対に、左右の骨が背骨に近づいているときを「引き締まる」というのです。

そして、左右のどちらかがゆるみ、反対側が締まっていることを「骨盤がゆがむ」といい、右か左の骨盤のどちらかが、上に上がったアンバランスな状態になっています。

からだのゆがみと筋肉のコリ・ゆるみ

骨盤がアンバランスな状態になっているとカラダのアチコチが不調になり、痛みがでてきます。

たとえば骨盤がゆがみ、右に上がっている人がいるとしましょう。

この場合、骨盤のすぐ上の背骨は左に曲がっていてバランスをとろうとし、腰の辺りの背骨が右側に曲がります。肩甲骨付近の背骨もバランスをとるため左へ。そして、首の骨は右へと曲がっていくのです。

この状態ですと、左腰の筋肉は引っ張られ、それを戻そうとつねに緊張していることに。筋肉は使いすぎると老廃物である乳酸を発生します。それがコリとなり、そのうち痛みとなるのです。

また、反対側の右腰の辺りの筋肉は、縮んだままの状態が続いているため、筋肉の伸縮運動が少なくなって硬まってしまいます。

肩甲骨の周りの筋肉も同じです。肩甲骨付近の右側の筋肉は、つねに緊張し、それがコリとなってしまうのです。同じ理由から左首にもコリが発生するというわけです。

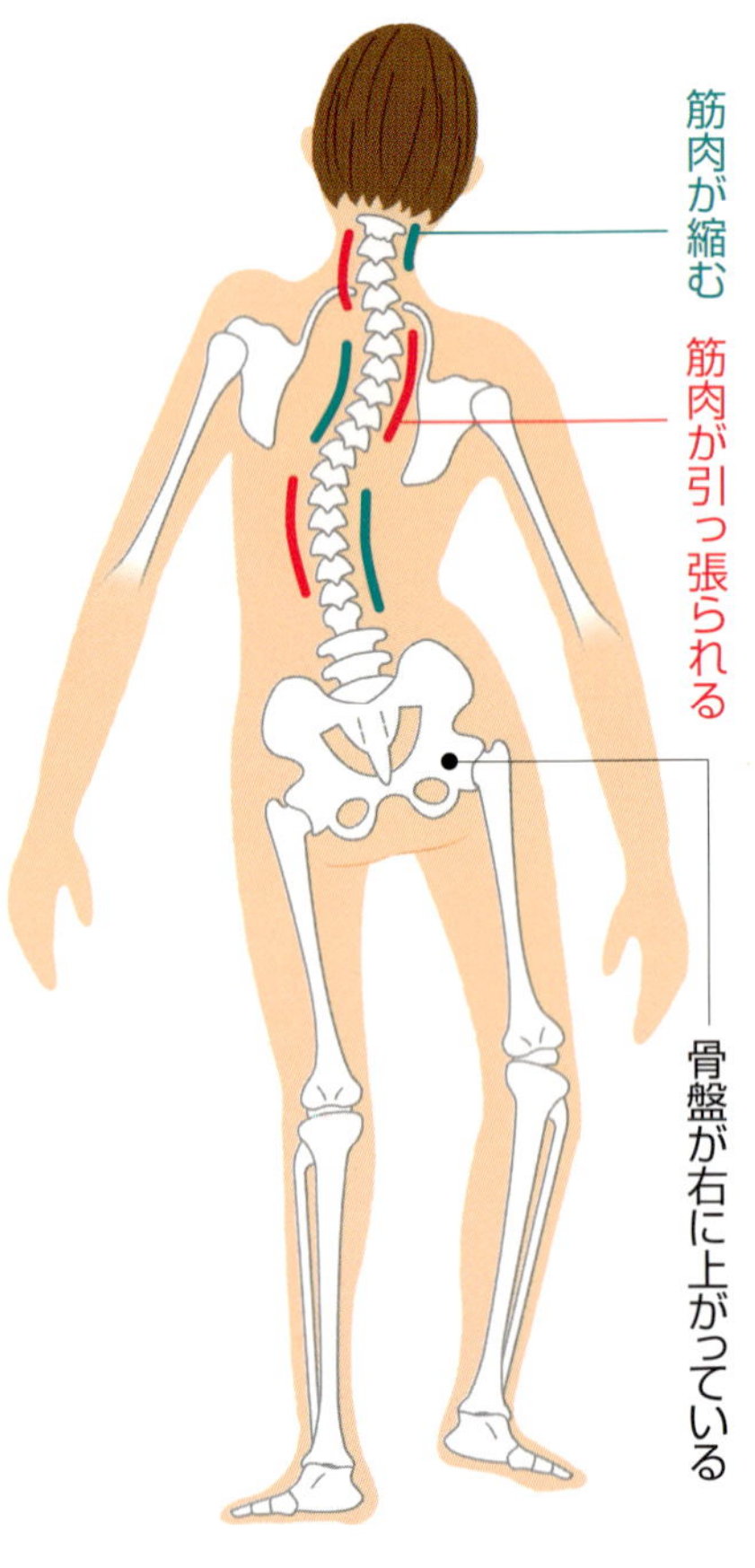

日々の暮らしのなかにゆがみの原因が

ところで、どのような状態になると骨盤はゆがむのでしょうか？

左右の骨盤と、背骨が接続している部分である「仙腸関節」は筋肉で支えられていますが、その筋肉がゆるんだとき、それが骨盤がゆがむときです。

左右の筋肉が同じように働いていれば、左右のどちらかに引っ張られることがありませんから、骨盤はゆがみません。

しかし、人々は毎日の暮らしのなかで、筋肉のバランスを崩す動きをしています。

たとえば、脚を組んで座ること。この姿勢のときは、体をねじっているため、引っ張られているほうの筋肉はもとに戻ろうと緊張しています。つまり、いつも脚を組んでいると、引っ張られている筋肉は疲労してしまい、老廃物である乳酸を作り出します。それがコリとなって筋肉のバランスを崩してしまうのです。

また、カラダねじり系のスポーツも骨盤がゆがむ原因に。たとえばテニスとかゴルフなど。これらのねじり系スポーツは、「カラダをねじってかまえる→ボールをヒットする→反対側にねじって振り終える」という動作の繰り返しです。これが、筋肉のバランスを崩す原因となっているのです。

リラックスとゆがみの関係

緊張の連続は、骨盤のゆがみの原因になります。

たとえば、急いでいるときは、いろいろなところに力が入っていますから、カラダが緊張しています。したがって、つねに急いでいる人は、カラダの至る所の筋肉が緊張して疲労し、筋肉のバランスが崩れているはずです。

それが、骨盤のゆがみにつながってしまうのです。

また、つねになにかものを食べている人。こういう人の内臓は、つねに消化活動を行わなければならないため緊張しています。

内臓が緊張しているときは、その周りの筋肉も緊張状態が続き、休むことができません。それがさまざまな筋肉の疲労や、骨盤のゆがみにつながるのです。

さらに、心配性の人。この場合も注意が必要です。心配事があるときは、知らないうちにカラダに力が入っています。すると、さまざまな筋肉は緊張し、それがコリとなり、骨盤のゆがみとなっていくのです。

「カラダをねじる、心配事がある、つねに食べる、いつも急ぐ」はゆがみのもと

骨盤のゆがみをチェック！

あなたのカラダのゆがみをチェックしてみましょう。
あなたは「前・後・左・右」のどの方向にゆがんでいますか？

反り腰（後ろ側のゆがみ）チェック

起き上がれない人は、後ろ側にゆがんでいる「反り腰」で、
おなかがゆるんでいる。太りやすい体質。

1
右ヒザを持ち、ヒジを伸ばしてアゴを引く。

2
腰を床につける。そのとき背中をつけず、左足のかかとは床につけておく。

左側も
同様に行う

3
勢いを使わずに、ヒザを前に押し出して起き上がる。

猫背（前側のゆがみ）チェック

手、背中、お尻のいずれかが浮く人は腰が前曲がりの人。
胃腸が弱く、冷え性になりやすい。

正座をして、両足を外側にずらしてお尻を床につけ、手を上げる。

注意！
ヒザに痛みを感じる人は絶対にやらないでください。

手、背中、お尻が床につくようにする。

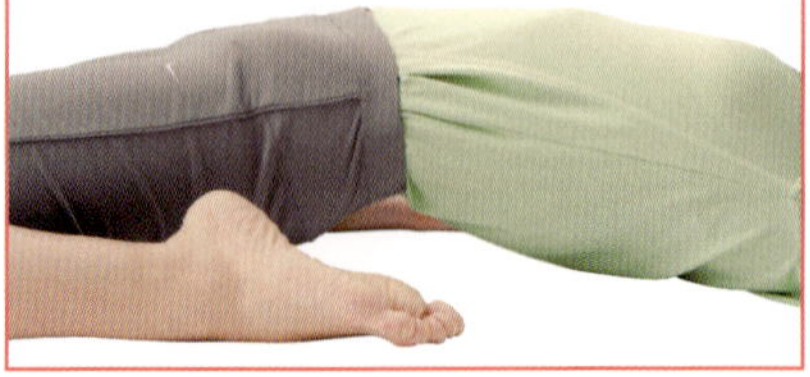

足踏み（左右のゆがみ）チェック

目を閉じて足踏みをしたあと、右側を向く人は骨盤が左にねじれている人で、左の肩コリや腰痛になりやすい。左を向いていたら、骨盤は右にねじれていて、右の肩コリや腰痛になりやすい。

1 目を閉じて立ち、

2 腕を大きく振り、ももは床と垂直になるくらい大きく上げ、その場で足踏みをする。

3 50回くらいを目安に足踏みし、目を開ける。

片脚伸ばし前屈（左右のゆがみ）チェック

やりにくいほうの骨盤が上に上がっている。
左右の脚の長さを比べてみると、やりにくいほうの脚が長いはず。

反対側も同様に行う

1 左脚をまっすぐ伸ばして座り、右の足の裏を左の太ももにピタッとくっつけ前屈する。

2 そのままカラダを左側に寄せる。

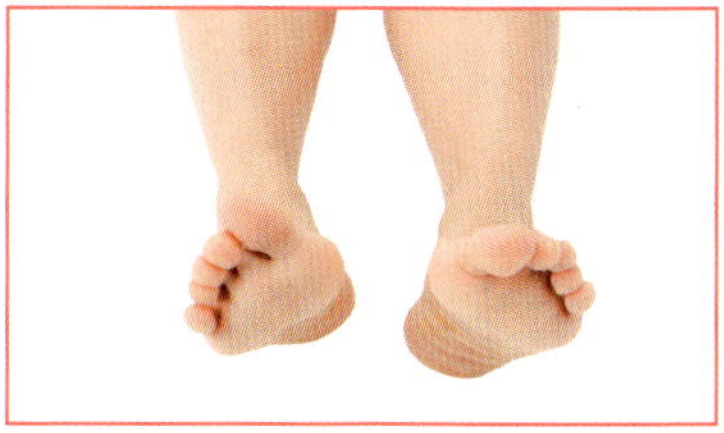

左右の脚の長さが違う。

骨盤が開閉するバイオリズムを知ろう！

ふだん意識することのない骨盤のバイオリズム。
これを知ればカラダのことがわかります。

ゆるむとあらわれるさまざまな症状

先ほど骨盤がゆるむ・引き締まるというお話をしましたが、実は、これは骨盤だけではありません。肩甲骨や頭蓋骨《ずがいこつ》もゆるんだり、引き締まったりしています。

そして、引き締まったカラダ、顔、脚といったものは、引き締まった骨盤や頭蓋骨、肩甲骨が作るのです。

逆にいえば、これらがそれぞれゆるむと、下表のようないろいろな症状があらわれます。

骨盤のバイオリズムって？

実は、骨盤、肩甲骨、頭蓋骨の3つは、別々にゆるむということはありません。必ず同時にゆるんだり、引き締まったりします。

しかも、それをごく自然に繰り返しているのです。それは排泄《はいせつ》と深い関係にあります。

骨	症　状
骨　盤	お尻が垂れる、ウエスト・太ももが太くなる、O脚、足首がむくむ、腰痛、ヒザ痛など
肩甲骨	猫背、バスト・二の腕が垂れる、肩コリ、頭痛、四十肩など
頭蓋骨	二重アゴ、目の下がたるむ、頬がふくらむ、口角が下がる、髪が薄くなる、集中力の低下など

人間は日々の生活のなかで、老廃物を溜《た》める、排泄するということを繰り返しています。そして、この老廃物を溜めている期間、骨盤や肩甲骨、頭蓋骨は引き締まり、排泄するときにゆるむのです。

この典型が女性の生理です。生理前になるとだれでも、これらはゆるみます。そのため、足がむくんだり、バストが垂《た》れたり、顔がはれぼったくなったり、また気分が落ち込んだりするのです。

では、どのようなリズムで開閉するのか説明していきましょう。

なお、骨盤や肩甲骨、頭蓋骨は、同時に開閉するため、これからはこの3つをあわせて「骨盤」として説明していきます。

骨盤の一日のバイオリズム

まずは、一日のバイオリズムから説明しましょう。

人は骨盤が開ききったときに眠たくなり睡眠に入ります。睡眠中、骨盤は徐々に締まり、締まりきったときが目が覚めるときです。

午前中、骨盤は締まった状態を維持します。午後になって、昼食をとったあとから徐々に開きはじめます。骨盤は空腹だと締まり、食事をして胃の中に食べ物を入れると開いてくるのです。

夜遅い時間に食事をとると、通常の睡眠時間をとったとしても胃の中に食べ物が入っているので、骨盤は開いたままとなります。そのため朝起きて腰痛になることが多いのです。

骨盤が締まっているときは、脳の集中力も高まっているとき。だから、午前中に脳を使う仕事をすると効率よく、アイデアも出てきやすいのです。

骨盤のひと月のバイオリズム

次は、ひと月のバイオリズムについて。

骨盤は、生理のときが一番開いています。そして、生理前にもっとも老廃物が溜まるので、むくんだり、太ったりするのです。また、精神的にも不安定になります。

生理が終わったあとは、老廃物が排泄されているため、カラダの調子もよくなり、お肌もスベスベです。

その後、徐々に骨盤が引き締まっていきます。その結果、いろいろなことにヤル気が出てきて、精神的に充実します。

さらに排卵の時期は、一番骨盤が締まっているときで、カラダも引き締まり、姿勢もよくなります。また、自分の内面にも自信がもてる時期なのです。

●骨盤の一日のバイオリズム

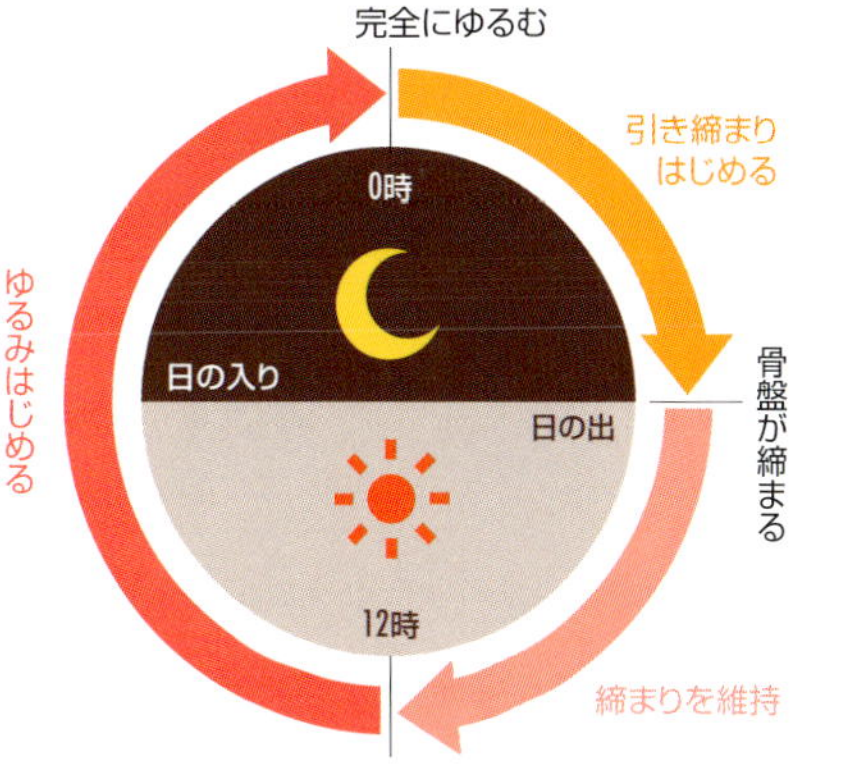

●骨盤のひと月のバイオリズム

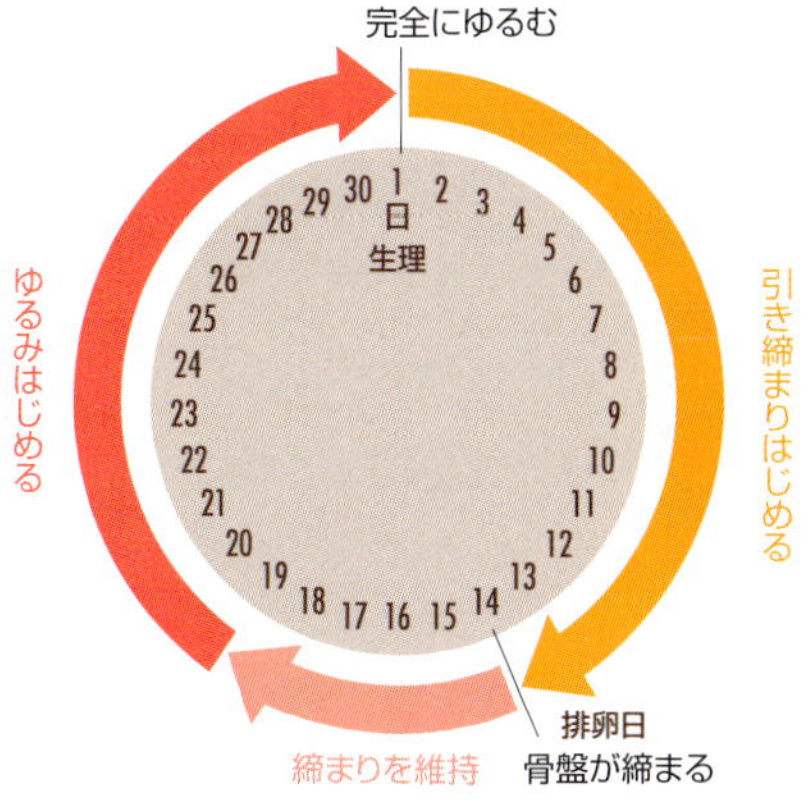

ほぐして整え
自分で守る
自力整体・整食・整心法

知らないうちに緊張している筋肉は老廃物の根源。
整ったカラダ、食、ココロが、美と健康の秘訣です。

いますぐ意識しよう「脱力」と「熟睡」

骨盤のゆがみを治すためのキーワードは〝脱力〟です。

いつも脱力している人は、筋肉が緊張している時間が少ないので、筋肉のコリができにくくなります。左右のバランスも崩れないので、骨盤がゆがみにくくなるのです。

また、老廃物を排泄《はいせつ》するには、〝熟睡〟が必要です。

熟睡中は筋肉がゆるむので、乳酸やぜい肉などの老廃物を回収する血管やリンパ管が働きやすくなります。同時に、日中の生活でゆがんだカラダを整体に近づけてくれます。

ちなみに、〝熟睡〟とは、脱力された状態で眠ることです。

真の脱力と熟睡に必要な3つのカギ

この脱力や熟睡には、「カラダ、内臓、ココロ」の3つの脱力が必要です。

これを実現するのが、「自力整体、整食法、整心法」です。

自力整体でカラダを、整食法で内臓を、そして整心法でココロを脱力させるのです。

クビレたウエストや大きなバスト、キュッと上がったヒップ、健康的でスラッとした脚、スッキリしたアゴのライン。これらは自力整体、整食法、整心法で手に入れられます。

もちろん、冷え性や便秘症、さ

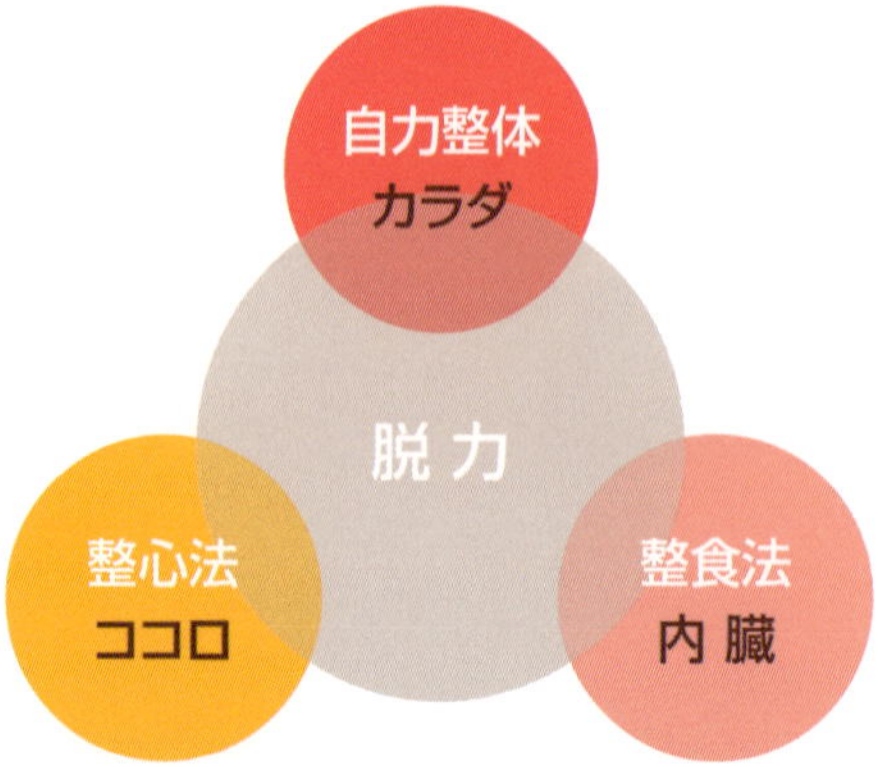

自力整体、整食法、整心法が脱力のカギ

らには生理痛、肩コリ、腰痛といったつらい痛みともサヨナラできるのです。

自力整体でカラダの脱力

自力整体には、

①老廃物を回収する
②整体にする

といった効果があります。

人が起きているときはカラダを動かしていますから、さまざまな筋肉が働いています。

またカラダを動かしていなくても、知らず知らずのうちに筋肉は緊張しているものです。日常で、脚を組んだりしてカラダをねじったり、パソコンのキーボードを打つために長時間、両肩を前につきだすというような、カラダのゆがみのもととなる動作を繰り返していませんか?

このような動作をしていると、筋肉は疲れ骨格がゆがみます。

ゆがみとは、関節がアンバランスになること。たとえば、左の仙《せん》腸関節《ちょうかんせつ》（23ページ参照）がゆるみ、右の仙腸関節が締まり、右の骨盤が上に傾いているような状態です。

これは左右どちらかの筋肉が縮んだままで、反対側の筋肉がゆるんでいるため。この縮んでいる筋肉に、乳酸や老廃水分といった老廃物が溜《た》まってしまいます。

ちなみに、筋肉では消費・蓄積されない栄養分が脂肪になります。これが老廃物であるぜい肉の正体なのです。

自力整体は、この縮んでいる筋肉を自分でマッサージする方法で、その効果的なやり方として、圧迫したり、引き伸ばしたりしているのです。

このとき、カラダをゆすりながらやりますが、それは筋肉を脱力させようとしているからです。

筋肉を脱力させ、前後左右のアンバランスが整って整体のカラダになったあとは、それを維持するために、カラダの奥深くにある「深層筋」を引き締めて仕上げます。

圧迫してほぐす

ゆすりながらほぐす

整食法で内臓の脱力

整食法は、内臓を脱力させるための方法です。

効果としては、

①老廃物の排泄
②ベスト体重
③自然治癒力のサポート

があります。

一日中ずっと食べている人がいますが、それだと内臓も一日中働いていることに。つまり、つねに内臓が緊張している状態になっているということです。

整食法は内臓を脱力させるため、内臓の休憩時間を長くする方法です。

たとえば「夜遅くに食べない」ようにすること。夜の遅い時間に食べると、寝ているあいだも消化活動をしているので、熟睡することができません。

カラダの悪いところを治したり、老廃物を回収したりする力を〝自然治癒力〟といいますが、この力は熟睡しているときに、もっとも活発に働きます。だから、その活動を妨害しないために、「夜遅い食事をしない」よう提案しているのです。

また「穀物中心に食べること」や「水分の多い食事をすること」も勧めています。それは、消化しやすい食事をとることで、胃腸の休憩時間が長くなるからです。

お酒は飲んでもかまいません。実際、私はお酒が大好きで、タバコもやります。

それから「朝食抜き」。これは

1 穀物を中心に食べる 水分の多い食事をする → 消化がラクになる

そばやご飯、うどんなどの穀物を中心に食べ、できるだけおかずはとらない

おかゆのように、できるだけ固形物よりも水分の多い食事をする

2 夜遅くに食べない → 自然治癒力アップ

老廃物の回収

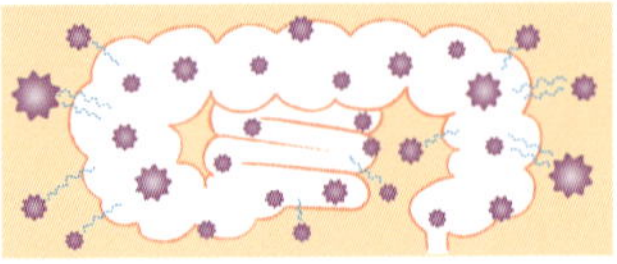

寝返りでゆがみを整える

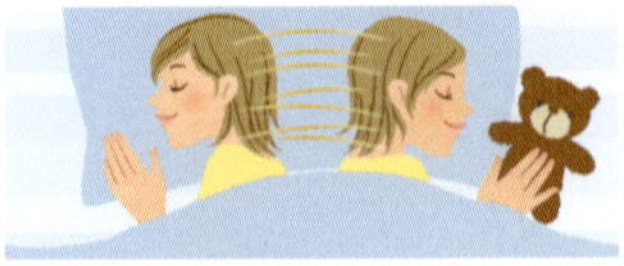

3 午前中は食べない → 滞留便の排泄

交感神経が活発になるので、排泄力が強まる

一般的な常識からするとまったく逆の説。でも、実は朝食を抜くと、午前中に腸の働きが活発になって、滞留便《たいりゅうべん》（宿便）という腸の奥のほうに溜まっている老廃物がでるのです。

　熟睡しているときに集められたイヤな老廃物は、朝食を抜くことによって排泄できるというわけ。つまり、「夜遅くに食べない（熟睡）＋朝食抜き」を行うことで、「老廃物の回収→排泄」の流れがシッカリとできあがるのです。その結果、あなたが望むベストな体重を手に入れることができます。

整心法でココロの脱力

本当に脱力した生活を手に入れるには、カラダや内臓を脱力しているだけでは足りません。

　たとえ自力整体をしてカラダの緊張をほどいても、心配事で悩んでいるようなときは、自然とカラダに力が入り、脱力することができません。ストレスをたくさん抱えているときも、ヤケ食いなどに走り、つねに内臓が働いて緊張しています。

　整心法は、このような脱力の邪魔をする考えや感情とうまく付き合っていく方法です。

　たとえば、イヤなことがあったときの解消法。職場の上司から理不尽に怒られたときや彼氏とケンカしたとき、電車でチカンに遭ったときなど。

　これらは、とってもイヤなことですが、過去のことですから変えようがありません。でも、イヤな気持ちや悔しい感情がわき上がってしまうのも事実でしょう。

　こんなときはココロのなかに「忘れ箱」というものを作り、そのなかに捨てて忘れるようにするのです。

　たとえ再び思い出したとしても、何度でも「忘れ箱」に捨てることで、徐々にそのイヤな感情がなくなります。

　このとき、イヤなことを紛らわすためヤケ食いやヤケ酒などに走ってはいけません。食欲にはイライラの感情からくる〝偽の食欲〟があります。

　「忘れ箱」を活用して、イライラの感情をうまく処理することができれば、この〝偽の食欲〟はなくなります。

　また「忘れ箱」は、次のようなケースでも役立ちます。

　たとえば、ミスをしたとき。ミス自体は過去のことですから、取

「忘れ箱」でイヤなことを忘れよう!

り戻せません。この場合は、「どのようにすれば同じ間違いを繰り返さないか」を考えます。そして、その答えが見つかったら、その対応策だけ覚えておき、ミスしたこと自体は「忘れ箱」に捨ててしまえばいいのです。

整心法で心配事をなくす

心配事にはたくさんの種類があります。たとえば、病気になったらどうしよう、失敗したらどうしよう、会社をクビになったらどうしよう……。

このような心配事があると、知らないうちにカラダに力が入ってしまい脱力できません。だからといって、心配事をゼロにすることもカンタンにはできないでしょう。

でも、心配している時間を大幅に減らすことはできます。

それは、「ひとつのことに集中する」こと。人は、集中しているとき、ほかのことを考えている余裕はありません。

具体的には、「できることだけに集中する」やり方です。できないことを、いくらやろうとしてもそれはムリというもの。どんな天才でも、できないことはできません。

今できることに集中する。これが心配事を減らす特効薬です。

自力整体・整食・整心法をすると……

このように自力整体・整食・整心法を実践すると、つねにカラダ、内臓、ココロのすべてが脱力できます。その結果、老廃物が回収・排泄されるカラダになります。

すると、ムダなぜい肉がなくなって、クビレたウエストや大きなバスト、キュッと上がったヒップ、健康的でスラッとした脚、スッキリしたアゴのライン、美しい姿勢といった理想のプロポーションが手に入るのです。

シミやくすみがとれたキレイでスベスベな肌も手に入ります。

また、温かなカラダに変わるため、冷え性や生理のつらい痛み、肩コリや腰痛といった悩みからも解放されるのです。自分に自信が持てるようになり、明るく楽しい暮らしを手に入れられます。

LESSON

2

ゆがみをとって
理想のプロポーションに!

これだけは気をつけよう！

自力整体を はじめる前に

1 「痛い」はNG 気持ちよく！

まずは**「気持ちいい」**と感じながら行うことを意識してください。付属DVDに収録した、これから紹介するすべての自力整体には、「決まった形」があるわけではありません。

今回はじめて自力整体にチャレンジしようとこの本を手にとった方でしたら、まずは私の動きを参考にして、そのなかで自分が「気持ちいい」と感じる程度にほぐしていってください。

そのとき即効を目指して、痛いのをガマンしながら刺激を与え続けてはいけません。かえって筋《すじ》や関節などを痛めてしまうことになります。

あなたがふだん**「凝っているなぁ」**とか**「重いなぁ」**なんて感じている部分があるのでしたら、そこを中心にマッサージをするように、やさしく自由に動かしましょう。

自力整体はその名のとおり、**一人ひとりが自分自身で行う整体**。十人十通りの自力整体があって当然なのです。

2 キーワードは「リラックス」

実技に集中するためには、静かな環境が必要。でも、それよりもまず、自分のココロの静寂を欠かすことはできません。カラダに気持ちを集中し、全身をリラックスさせて行うことで**気持ちよさが倍増**します。

もちろんそのときの服装は、できるだけゆったりとしたものにしてください。また、やわらかいマットを敷いて行うと、ヒザなどが痛くならないので集中できます。

リラックスした状態で、自力整体を行い自分のカラダと対話することは、「あなたの心身の美」にとってとても有意義なことです。必ず、穏やかで心地いい時間が過ごせることでしょう。

3 できるだけ あたたかい環境で

寒い場所では筋肉が緊張して硬くなります。すると、どこまで刺激すればカラダが気持ちよくほぐれるのかがわからなくなります。

ムリして実技を行うと筋肉を痛めるだけ。**冷えた筋肉はケガのもと**なのです。

できるだけあたたかいところで実践しましょう。**一番のオススメは入浴後**です。筋肉がほぐれやすく、ココロも安定しているからです。

4 あなたのココロと カラダを通わせる

決して自分が自分のカラダを治療するなんて思ってはいけません。

あなたのカラダ自体が治療する、つまりもともと人間にある**自然治癒力を活性化してあげる**こと。これが自力整体の狙いです。

「ここは気持ちいい」「ここは痛い」と感じながら自分のカラダを見つめ、脱力して行いましょう。

5 空腹を味方に

食後すぐに自力整体を行うと、効果は半減します。胃の中に食べ物があると血液がその消化にとられ、筋肉に十分な血液が回らなくなります。するとあまり気持ちよく感じませんし、逆に筋を痛める原因にも。

自力整体を行うときは、**できるだけ空腹状態**でのぞんでください。

この本で紹介する実技は、各教室の生徒さんに教えるような流れで再現されていますが、決して動きを丸ごと合わせる必要はありません。実際にやりながら自分のペースを見つけてください。DVDなら一時停止などを使いながらじっくりほぐし、ゆったりと気持ちよく進めましょう。

手に入れたい！クビレたウエスト

3つのウエスト太り

ウエストが太い人は「ポッコリおなか型」「皮下脂肪型」「下っ腹太り型」の3つのタイプがあります。

ポッコリおなか型は、おなかがでているのに、その部分のぜい肉がつかめないタイプ。原因は内臓脂肪がついているためです。

皮下脂肪型は、でているおなかのぜい肉がつかめるタイプ。腰が後ろにゆがんでいること（反り腰）が原因で、おなかの筋肉の上に脂肪が溜《た》まってしまいます。

下っ腹太り型は、一見痩《や》せて見えますが、裸になってみると下っ腹が出ている人です。理由は排泄《はいせつ》がうまくいかず、大腸に便が溜まり下垂しているため。その結果、下腹部だけでてしまいます。

クビレたウエストになるには

ポッコリおなか型の人と下っ腹太り型の人は、食べ過ぎないことが一番。夜遅くに食べないで、翌朝の朝食も抜くことです。

胃の中が空っぽの状態での睡眠（熟睡）は老廃物を集めます。そして翌朝の朝食を抜くと、普通の便だけでなく、熟睡中に集められた老廃物が滞留便として排泄されるため、おなかのなかも外もスッキリするのです。

また、食欲には〝偽の食欲〟があります。ストレスが溜まると、それを発散しようと食に走ります。これが〝偽の食欲〟ですが、これをなくすには「忘れ箱」を使ったり、ひとつのことに集中する整心法が一番です（33ページ参照）。

皮下脂肪型は、反り腰になっているので、骨盤を整える必要があります。

それから、肋骨《ろっこつ》と骨盤のすき間を広げること。そうすれば太いウエストは目立たなくなります。

それには、次ページで紹介する自力整体がオススメです。骨盤を整え、反り腰を治し、肋骨と骨盤のすき間を広げましょう。

骨盤のゆがみ治し（右）

6-1

※長めのタオルを用意!

1 あおむけになって、両足裏にタオルを引っかけ、腰を前後にゆする。

2 左脚を床に下ろして、右手だけでタオルをつかみ、

3 右脚を横に開き、左腕は頭上へまっすぐ伸ばして左脚を軽くゆする。

Points

左の骨盤に効くように、左脚を細かくゆする。

4 右脚を上に戻し、タオルを左手に持ち替えて、

5 右手を横に広げ、右脚を左側へ倒す。

反対側も同様に行う

これもオススメ!

深層筋マッサージ→P.68 1-2
反り腰治し→P.100 5-1

太もも・足首を細くしたい！

◇太もも・足首が太いのは

太ももが太い人のほとんどは、骨盤がゆがんでいます。

骨盤を支えているのは、仙腸関《せんちょうかん》節《せつ》（23ページ）。これを支える筋肉がゆるんでいるため、骨盤がゆがむのです。

すると、左右の脚の長さに差ができて、どちらかの筋肉が引っ張られることで、反対側の筋肉はゆるみます。筋肉が両方とも伸縮ができなくなって硬くなると、血流が悪くなって、老廃物の回収ができません。そして脂肪が溜《た》まり、脚が太くなるのです。

また、太ももが太い人の多くは、太ももが前側（内側）にねじれていて内股《うちまた》です。内股になると脚の脂肪が前側に寄ります。それが太ももを太くしている原因なのです。

また、内股の人は正しい歩き方ができません。つま先で着地するチョコチョコした歩き方になっているはずです。このような人は足首を動かさないで歩くため、足首の血流が悪くなって、むくんで太くなるのです。

◇細い太ももや足首になるには

これらを治すには、リラックスした正しい歩き方が大切です。

まず、一方の脚を前に投げ出し、かかとから着地します。そして、着地した脚に全体重を乗せる。その繰り返しです。

また立ち方も重要です。まず、足を外側に向け「きをつけ」の姿勢をします。そのとき、お尻の穴のほうに力を入れます。

この立ち方をすると、脚が外側にねじれて内股が治り、仙腸関節を支える筋肉も引き締まるため、骨盤がゆがみません。

また、太ももをほぐすことも効果的。次ページの自力整体を試してください。

足首のむくみは、足の裏を刺激することで改善します。また、適度に足首を動かすことも大切です。

内股ほぐし(左)

3-5

1 左脚を横に伸ばして座り、両手でヒザを押さえて骨盤を左右にゆする。

2 カラダを左斜め前に倒して左方向にゆする。

Points

できれば左足の親指も前に倒す。

反対側も同様に行う

やわらかい人は痛くなる直前まで曲げてゆする。

これもオススメ!

足の裏踏み ➡ P.89 3-4

外ももほぐし(右) ➡ P.95 4-4

スラッとした美脚を手に入れよう！

◇O脚になるのは

気になるほど太ももが太くないけれども、カッコ悪い脚。女性の場合、その一番の原因はO脚でしょう。

O脚は、脚が外側にねじれているためになります。脚のねじれは、ももの内側の筋肉がゆるんでいるから。脚の外側と内側の筋肉のバランスが悪くなると脚がねじれ、それがO脚となるのです。

また、股関節《こかんせつ》が硬い人もO脚になりやすいので注意が必要です。

股関節は、座る、歩く、転ぶ、跳ねるなど、脚を使った動作の基本（中心）となる部分です。ここが硬いと、当然太ももの内側の筋肉もシッカリ働きません。その結果、ゆるみやすくなるのです。

◇O脚を治し美脚になるには

O脚を治すには、まず外側、内側の両方の太ももの筋肉をほぐして左右差をなくします。そして、左右差がなくなった状態でシッカリと引き締めること。

もちろん股関節をほぐすことも忘れてはなりません。

ももや股関節をほぐすには、次ページの自力整体が効きます。

また、これらの自力整体は、ヒザに痛みがある人にも効果があります。ヒザの痛みは、脚がねじれて凝るために起こるからです。

それから、整食法もO脚を治すには効果大。

食べ過ぎて胃腸が疲れると、太ももの外側に老廃物が溜《た》まってハリを感じます。夜遅い食事や朝食をとらないようにしたり、炭水化物中心に食べることで、胃腸を休ませてあげてください。

すると、太ももの外側のハリがなくなり、ももがほぐれます。

それから脚を組まないようにしたり、前項で紹介したような正しい立ち方をすることもO脚には効果があります。ふだんから気をつけましょう。

開脚股関節ほぐし

4-1

1 両脚を横に開いて座り、

Points

股関節の硬いところをマッサージするように。

2 カラダを前後にゆらし、股関節をほぐす。

注意!

「痛い」と感じるまで伸ばさないように。

3 両ヒジを床につけて上体を前へ倒し、前後に骨盤をゆする。

これもオススメ!

内股ほぐし(左)➡P.91 3-5
股関節引き締め➡P.93 4-2

たるんだ二重アゴとサヨナラしよう！

二重アゴになるのは

年齢を重ねてくると、若かった頃のシャープなアゴのラインは見る影もなくなり、だんだんと肉がついてきます。

その原因のひとつは、頭の周りの筋肉がゆるんでいることです。ここがゆるむと、口角《こうかく》が下がり、顔やアゴがたるんできます。

もうひとつの原因は猫背。猫背の人は首が凝って縮み、アゴが上がってきます。すると、アゴの下の筋肉がゆるんで、その上にぜい肉が溜《た》まり、それが二重アゴとなるのです。

肋骨《ろっこつ》と骨盤のあいだが縮んで狭くなることも二重アゴにつながります。あいだが狭くなると、同時に腕が首の方向にめり込んできます。そうすると、首が短くなります。

同じ量のぜい肉がついていたとしても、首の長さが違えば、ぜい肉の目立ち方は変わります。

また、耳やアゴの下のリンパ管が滞ることも二重アゴの原因のひとつ。

リンパ管は老廃物を排出するパイプです。このパイプの流れが悪くなれば、アゴや首の周辺に老廃物であるぜい肉が溜まるわけです。

顔にできるシミやくすみも同じです。顔の周辺の毛細血管やリンパ管が詰まっていると、老廃物が排泄《はいせつ》できなくなってしまい、それがシミやくすみとなるのです。

二重アゴを治すには

これらとサヨナラするには、まず、口角を広げること。唇を思い切り大きく、ハッキリと歯が見えるように開きます。気がついたときにこの動作をすれば、頭の周辺の筋肉は引き締まり、たるみが少なくなります。

また、首やアゴをほぐすことも効果があり、肋骨と骨盤のあいだを開くことも大切です。

これらを行うには、次ページの自力整体がオススメです。

あおむけ首伸ばし

3-1

1 あおむけになり、手でヒザをつかんで、ゆらして腰をほぐす。

2 頭の後ろで手を組み、首を伸ばす。

3 首を左右に伸ばす。

これもオススメ!

両ワキ伸ばし ➡P.83 2-5
反り腰治し ➡P.100 5-1

凛《りん》とした美しい姿勢を手に入れよう！

◇凛とした美しい姿勢とは

美しい姿勢とは、前後左右のゆがみがない「整体」の人の姿勢で、たとえば頭の真上からまっすぐ下に、一本の棒が通っているような感じです。

前にゆがんでいる人は、猫背でアゴが前に突き出ています。後ろにゆがんでいる人は、腰が反り返っておなかが出ています。

もちろん、左右のどちらかにゆがんでいる場合、ともにキレイな姿勢とはいえません。

◇美しい姿勢になるには

美しい姿勢を手に入れるには、まず、「猫背」を治すことです。

胃腸が痛いとき、自然とそれを守るような前屈《まえかが》みの猫背の姿勢になります。また、胃が疲れているときも同じで、前屈みのカッコ悪い姿勢になりがちなので、胃腸を休める時間を長くすることが大切になります。

それにはまず、夜遅い時間の食事をとらないこと。そして朝食を食べないことです。

また、肩や肩甲骨の周りをほぐしてあげることも大切。これは、次ページで紹介する自力整体が効果的です。

また、いつも忙しくバタバタ動いている人の動作は、決して美しいものではありません。

この悪いクセを治すには急がないこと、リラックスすることです。たとえば、「今週一週間は絶対走らない」「一日10分間瞑想《めいそう》する」といったことを決めて実行するといいでしょう。すると、気持ちも焦らなくなり、ゆったりとした優雅な動作が身につきます。

また、自力整体でカラダをほぐして前後左右のバランスがとれたあとは、カラダの中心の軸を意識して生活するようにしましょう。

正しく、美しい姿勢がクセになり、同時にカラダもゆがみにくくなります。

踏み込み

2-6

1 両手を床につけて、お尻を上げ、

2 右脚を上げて、左右にゆする。

3 左脚を上げて、左右にゆする。

Points
手脚にシッカリと力を入れて床を押す。

4 両脚を踏み込み、頭を両手のあいだに入れる。

これもオススメ!
背中・肩のコリほぐし(左)➡P.72 1-7
四つんばいカラダ回し➡P.78 2-1

なんとかしたい！この大きなお尻

お尻が垂《た》れるのは

お尻が垂れる一番の原因は内股《うちまた》です。

内股になると、骨盤を支えている筋肉が衰えます。すると、お尻全体が垂れ下がってしまいます。

また、内股になると、お尻の上のほうの筋肉が痩《や》せてしまいます。その結果、形の悪い垂れ下がったお尻に見えてしまうのです。

ヒップアップするには

ヒップアップしたカッコイイお尻になるには、内股を治すことが大切です。

内股は脚が内側にねじれていること。だから、脚を外側にねじって、左右均等の正しい位置に脚を戻すことが必須なのです。

それには、ふだんから正しい立ち方をすること。正しい立ち方とは、立ったときにかかとやヒザのすき間がないことです。

まず、かかとをつけて足を外側に開き、「きをつけ」の姿勢になります。

このとき、足を外側にひねり、ヒザとヒザがくっつくように引き締めます。同時にお尻の筋肉を、お尻の割れ目側に寄せて太ももを引き上げるようにします。

これが正しい立ち方ですから、常日頃から注意して、この立ち方をするようにしましょう。

また、床やタタミの上に座るときに「あぐら」をかくのもオススメ。それは、あぐらで座っているとき、ももが外側にひねられているためです。

それから、内股の人はももが硬くなっていますから、ももをほぐすことも大切です。ももがやわらかくなければ、正しい立ち方をするのに苦労するからです。

また、シッカリと骨盤を支えるお尻の筋肉を引き締めておくことも忘れてはなりません。

それには、次ページの自力整体が効きます。

ヒップ持ち上げ骨盤締め

5-2

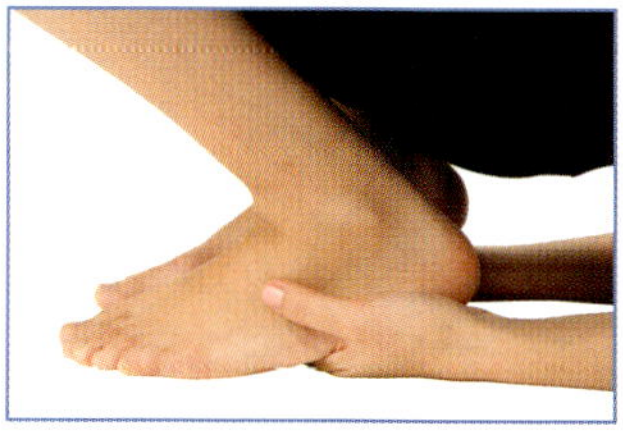

1 あおむけになり、両ヒザを立ててかかとをつかみ、

2 お尻を上へ持ち上げ、お尻を上下にゆする。

Points

15回位上下にゆする。

これもオススメ!

踏み込み➡P.84 2-6

あおむけ腰ほぐし(左)➡P.103 5-3

ノースリーブも恐くない プルプル二の腕とサヨナラ

太い二の腕になる理由

バンザイをしたときのカラダの横側の部分、つまり、おなかの横にあるワキ腹とワキの下、そして二の腕はつながっています。

ふつうの生活を送っていると、これらの部分の筋肉を伸縮させる動作をあまり行いません。

そのため、知らず知らずのうちに筋肉の血流が悪くなります。血液の流れが悪い筋肉の上には、脂肪がついてしまいます。それが太い二の腕の正体です。

ちなみに、二の腕の後ろ側についたぜい肉は、着物の袖部分にたとえて「振《ふ》り袖《そで》」と呼ばれています。

二の腕を細くするには

太い二の腕を細くするには、それらの部分の血液の流れをよくしなければなりません。血液の流れが悪いというのは、俗にいう「ドロドロ血液」のこと。これは血管のなかに脂肪などの老廃物が溜《た》まることが原因です。だから、その部分をほぐして血流をよくしなければなりません。

とくにワキの下は、筋肉が縮みがち。だから、念入りにほぐす必要があります。

また、縮んだワキをほぐすときは、同時に肩の周りもほぐすことが大切です。それは肩の上側や前側の関節をほぐさなければ、ワキが十分に伸びないからです。

これらの縮みをほぐし、血流をよくするには、次ページで紹介する自力整体が最適。自力整体でジックリとほぐし、ついてしまった脂肪という老廃物をシッカリと回収・排泄《はいせつ》しましょう。

また、ワキを伸ばすと肋骨《ろっこつ》が上がりますから、猫背の矯正やバストアップにも効果があります。

そして、ワキと同時に肩関節をほぐせば、肩や首のコリがとれ、四十肩も治ります。

両ワキ伸ばし

2-5

1 四つんばいになって、

2 お尻をかかとに近づけ、

吐く

吸う

3 上体を前方に伸ばして、アゴをだし、ノドを伸ばす。

Points
シッカリとノドを伸ばす。

吐く

4 胸を下げておでこを床につけ、左右のワキを交互に床に近づけて伸ばす。

これもオススメ！

背中・肩のコリほぐし（左）➡P.72 1-7
四つんばいカラダ回し➡P.78 2-1

ツンとした上向きの美しいバストを目指せ！

◇バストがカッコ悪いのは

キレイな美しいバストの人は、姿勢がいい人です。反対に、たとえ大きなバストの持ち主でも、姿勢が悪く猫背の人は、美しいバストに見えません。

猫背の人は、肩が前のほうについています。だから、バストが小さく見えてしまうのです。

猫背の一番の原因は、胃腸の疲れ。胃が疲れるとそれを守ろうと、知らないうちに前屈《まえかが》みの姿勢になるのです。

また、ふだん机の上で仕事をする人も猫背になりやすいでしょう。

書くことが多い人やパソコンを使う仕事が多い人は、両手をカラダの前に持ってくる姿勢をとります。この姿勢は、自然と両肩も前にだしています。この時間が長いと、背中の肩甲骨が長時間、引っ張られていることに。すると、肩甲骨にコリが生まれ、つねに肩が前にある姿勢、つまり猫背ができあがるのです。

◇バストアップするには

バストアップしたキレイな姿勢を手に入れるには、この猫背を治すこと。

それには夜の遅い時間の食事をやめることです。夜遅くに食べると、寝ているあいだも胃腸が休めません。同時に、朝食も食べずにいれば、胃腸の休憩時間が長くなり、胃腸が疲れません。

消化しやすい炭水化物を中心とした食事にすることもオススメです。

それから、肩甲骨をほぐすことと、肋骨《ろっこつ》を上げることも大切。

それには、次ページで紹介する自力整体を実践してください。

肩甲骨がほぐれ、肋骨が上がるだけでなく、肩関節もほぐれますから、前肩が治り、猫背が治ります。そうなれば、自然と胸を張った美しい姿勢になって、バストが上向きになるのです。

背中・肩のコリほぐし（左）

1-7

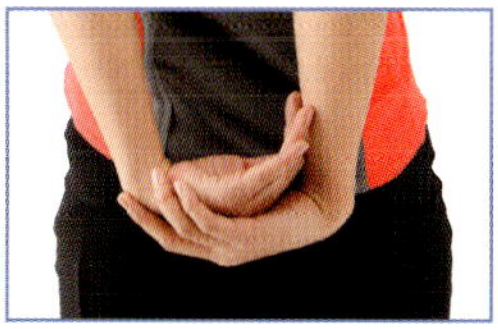

1 ヒザ立ちになり、カラダの後ろで左手首をつかみ、肩甲骨を絞って左右にゆする。

2 左肩を下げて、頭を右に倒し左首を伸ばす。

3 右ヒザを立てて、左手の親指を右手で下から握り、

4 親指を強く反らしながら左手を前に伸ばす。

5 顔を左へ向けながら、左手を右へ引っ張る。

つづき
1-7

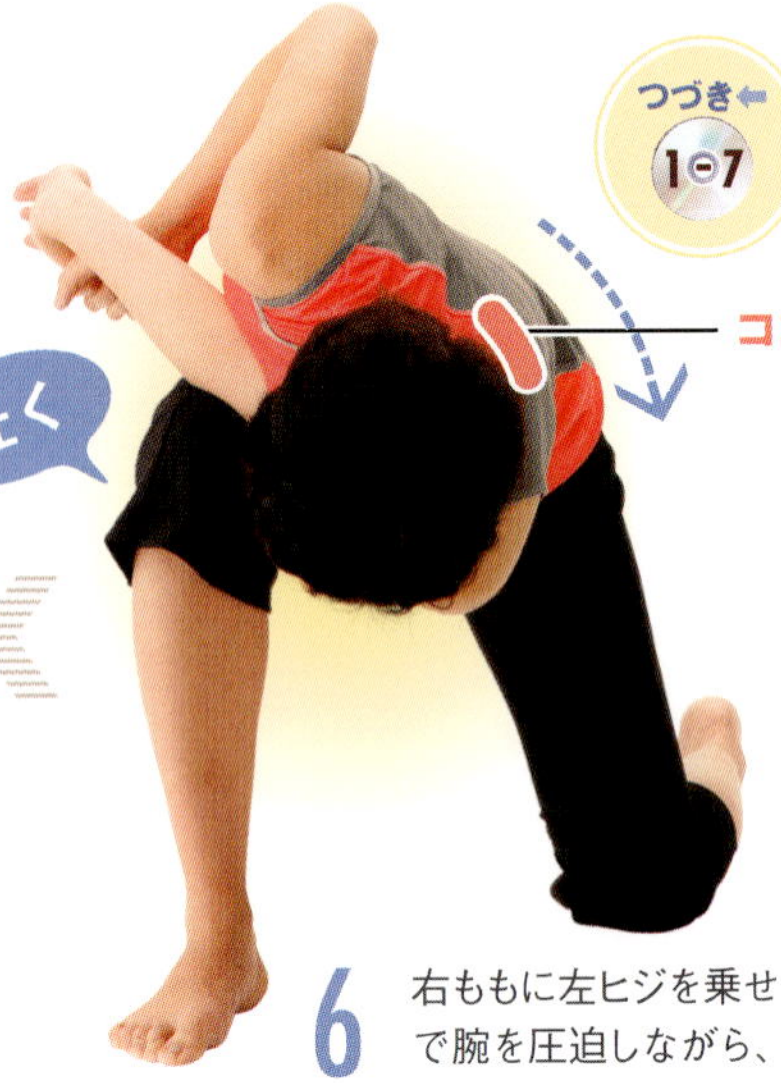

6 右ももに左ヒジを乗せ、カラダの重みで腕を圧迫しながら、背中をほぐす。

7 ヒジをヒザの外に引っかけ、上体を右へねじる。

8 カラダを戻して、もう一度6と同じ姿勢をとり、左肩を下げて背中をほぐす。

9 右手をヒザの上に乗せて、ゆっくり起き上がり、左手の甲を前にして、下から上へ腕を大きく回す。

10 頭の上でさらに伸び上がるようにして、

11 後ろの壁を押すように、ゆっくり回して下ろす。

反対側も同様に行う

これもオススメ!
肩甲骨ほぐし ➡ P.82 2-4
両ワキ伸ばし ➡ P.83 2-5

LESSON 3

ゆがみをとって
健康的なカラダに!

靴下いらず
手袋いらずの
温かい手足が欲しい！

◇冷え性になるのは

カラダに不要な水分が溜《た》まると、冷えが発生します。不要な水分は「むくみ」となりますから、むくんでいる人は冷え性です。

むくみが発生する理由は、血管やリンパ管の詰まり。血管は温かい血液を全身へくまなく運んでくれます。同時に不要なものも回収しています。そしてリンパ管は、カラダの不要なものを回収するためのパイプですから、これらが詰まっているとカラダが冷えてしまうのです。

また、冷えは筋肉とも深い関係に。筋肉にはたくさんの毛細血管が張り巡らされています。つまり、筋肉が少ない人は、温かい血液が流れる量が少なく、冷え性になりやすいのです。

また、食事時間も関係があります。人は熟睡中が一番体温が低く、起床の少し前から体温が上がりはじめて、日中にかけてどんどん上昇します。そして、夜になると少しずつ体温が下がっていきます。

一日を通して胃腸が働きやすい時間帯は、日中の体温が高いとき。だから、オススメの食事時間は昼間なのです。

とくに甘い物は、消化されるとたくさんの水分を発生させ、カラダを冷やします。ですから、夜の遅い時間に甘い物を食べることはなるべく控えましょう。

◇冷え性を治すには

冷え性を治すには、まず、胃腸が活発に働いている12時～18時に食事時間を集中させること。

また、温かいカラダになることも大切です。筋肉を発達させることと、血管・リンパ管の詰まりをほぐすことです。

それには次ページで紹介する自力整体が効きます。

とくに血管が詰まりやすく、冷えやすい足の周りは念入りに行いましょう。

足の裏踏み（左）

3-4

1 左足の土踏まずを右足のかかとで踏み、両手でヒザを回してほぐす。

Points
凝って硬くなっているところを探してほぐす。

2 左手を床について左ヒザを軽く浮かせ、

3 右手で左ヒザをつかんで胸へ引きつける。

4 つかんだヒザを床に下ろし、右のヒザを前に突き出す。

Points
右足のアキレス腱《けん》を伸ばす。

反対側も同様に行う

これもオススメ！
足の指回し→P.87 3-2
内股ほぐし（左）→P.91 3-5

スッキリ排便で毎日をさわやかに

排便のメカニズム

便秘の一番の原因は、不規則な生活です。

夜の早い時間に食事を終えれば、起きている間に食べ物は消化されます。

そして、必要なものは、血液と一緒にカラダ中に供給され、不要なものは便となって大腸に送られます。

また、空腹のまま睡眠すると、眠っているあいだに、カラダ中の老廃水分や老廃物が回収され、便や尿として溜《た》められます。

朝起きたとき、まず、食べ物のカスが通常の硬い便として、排泄《はいせつ》されます。

朝食をとらなければ、その後、睡眠中に回収された老廃物が、滞留便として排泄されます。

さらに、食べ物を胃の中に入れたとたんに、大腸が反応して便がでます。

ところで、食べ物のカスをはじめ、老廃物を大腸に集めるのは、通常、食物繊維と思われていますが、実はそうではありません。先ほども説明したように、規則正しい生活をすることで自律神経が働き、老廃物の回収・排泄へとつながるのです。

ですから、空腹で睡眠をし、朝食を食べない人は、3回排便があるのです。ただし、3回排便するリズムも、カラダに覚えてもらうまで時間がかかります。そのためリズムに慣れるまでは、かえって、排便しない人もいます。

大腸の働きをよくするには

規則正しい生活を送っても、排便しにくい人がいます。原因は、骨盤のゆがみ。

骨盤がゆがんでいると、大腸が活発に働かず、スムーズに排便することができません。

次ページで紹介する自力整体で大腸の働きを活発にし、骨盤を整えましょう。

深層筋マッサージ

1-2

Points
凝って硬くなっているところを探してほぐす。

1
息を吐きながら、アゴを前へ突き出すように。

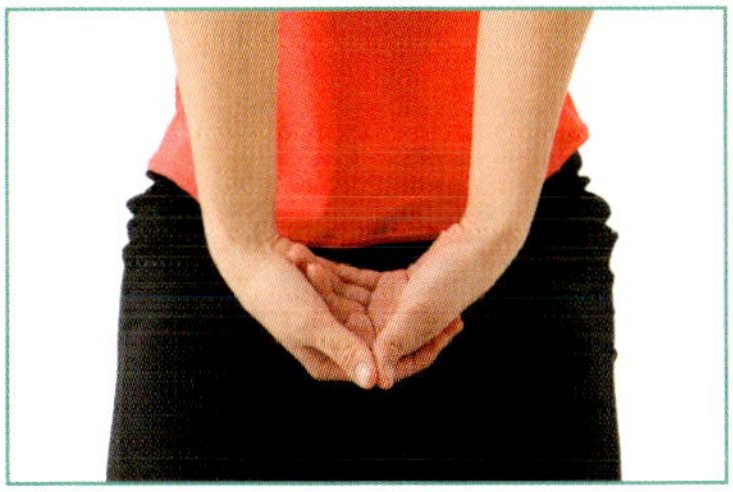
両手はこのように組む。

2
後ろへのけぞり、ノドを伸ばして、

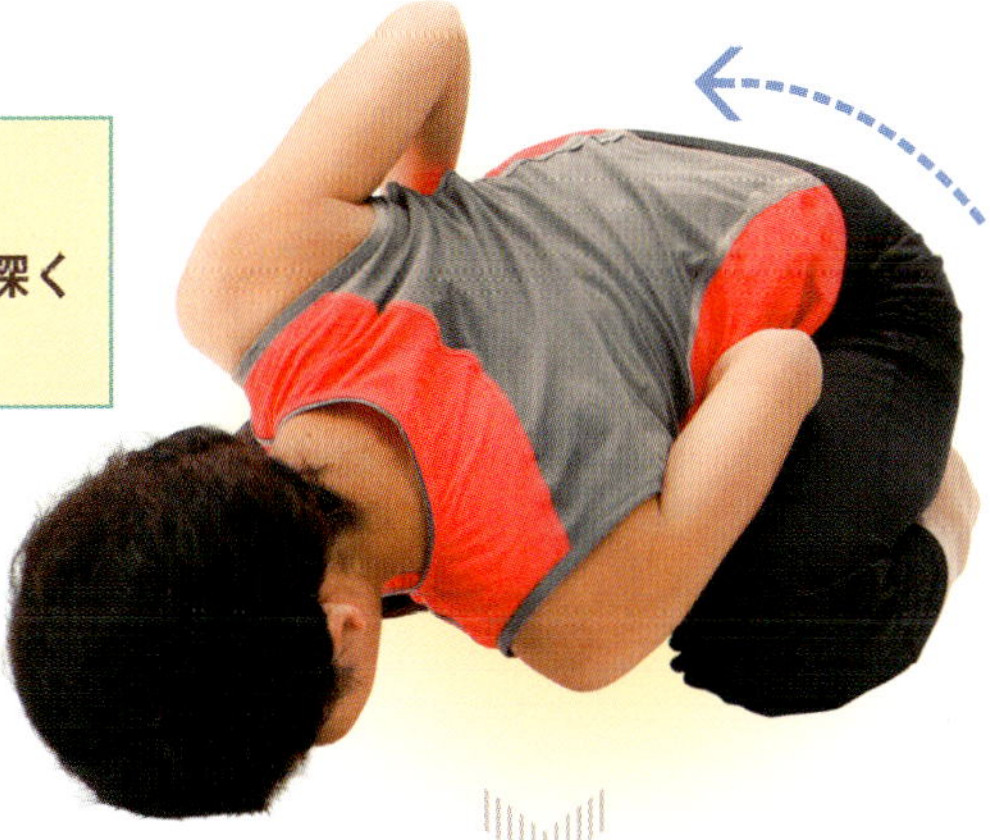

Points
手のひらは深く押し込む。

3
おでこを床へつけ、右の手のひらを左へ押し込み、お尻は右へゆする。

4
左の手のひらを右へ押し込み、お尻は左へゆする。3、4の動作を繰り返す。

これもオススメ!
手首ほぐし(左)→P.79 2-2
足のツボ刺激→P.88 3-3

いや～な生理痛はもうこれっきり！

◇女性のバイオリズム

28ページでも説明しましたが、女性の場合、だいたい1か月単位で骨盤がゆるんだり、引き締まったりします。

この月単位の骨盤のバイオリズムが、カラダだけでなくココロにも影響を与えるのです。

一番骨盤が開いているときは生理直前。この時期は老廃物が一番溜《た》まっているときで、むくんだり、太ったりします。

これらの老廃物を排泄《はいせつ》するものが生理です。だから生理後、体調がよくなり、お肌もスベスベに。

しかし、このバイオリズムが狂うと痛みとなります。

生理痛に限らず、痛みが出るときは骨盤がゆがんでいるとき。だから、骨盤が開いている生理時は、そのゆがみが、いつも以上に大きくなって激しい痛みとなるのです。

また、骨盤がゆがんでいると、排泄がうまくいきません。生理も排泄のひとつですから、骨盤がゆがんでいるとうまくいかず、痛みとなるのです。

◇生理痛を治すには

生理痛を治すには、まず、規則正しい生活を心がけてください。

昼間の時間帯はカラダをシッカリと働かせ、夜はシッカリと寝ること。また、メリハリのある食べ方をすることも大切です。

休むときは休み、働くときは働く。このリズムをカラダに覚えてもらうことが重要なのです。

また、骨盤を整えることも忘れてはいけません。それには、次ページの自力整体が有効です。

それから、激しい運動をしたり、生理中に重い物を持ったり、ハイヒールを履《は》くことはやめましょう。それは、その時期の骨盤がゆがみやすくなっているためです。

下半身を冷やさないことも生理痛を軽くするためには大切です。

骨盤のゆがみ治し（右）

6-1

1 あおむけになり、両足裏にタオルを引っかけて、腰を前後にゆする。

2 ろ左脚を床に下ろして、右手だけでタオルをつかみ、

3 右脚を横に開き、左腕は頭上へまっすぐ伸ばして左脚を軽くゆする。

Points
左の骨盤に効くように、左脚を細かくゆする。

4 右脚をもとに戻し、タオルを左手に持ち替えて、

5 右手を横に広げ、右脚を左側へ倒す。

反対側も同様に行う

これもオススメ！
腰・股関節ほぐし(左)➡P.70 1-4
手首ほぐし(左)➡P.79 2-2

肩コリ知らずの快適生活を手に入れよう！

◇肩コリになるのは

東洋医学では、「肩、首、頭」と「胃」はつながっていると考えられ、そして肩コリの大きな原因は、「胃」と考えられています。

たとえば、食べ過ぎたときに起こる頭痛。頭が痛いために気がつきにくいのですが、実はそのとき肩も凝っているのです。

実際、いつも食べているばかりいる人の多くが、肩コリも持っています。それは、つねに胃が緊張してリラックスできないため。同時に肩も緊張し、それが肩コリになるのです。

また、いつも急いでいる人やストレスを抱えている人、心配性の人もよく肩コリに悩みます。これは、つねに肩に力が入っているから起こるのです。

◇肩コリを治すには

肩コリを治すには、胃を軽くすること。それには胃腸の休憩時間を多くすることです。

一番いいのは、肩コリがなくなるまでの「断食」。しかし、そう簡単に断食はできません。

断食に近づけ、胃腸の休憩時間を長くするには、まず、夜遅くに食事をとらないこと。そして、朝食を食べないことです。

また、肋骨《ろっこつ》を上げることも効果大。肋骨が下がっていると、猫背になります。猫背の人は、つねに肩が緊張していて、首もゆがんでます。その結果、肩コリが発生するのです。

これらを治すには、次ページで紹介する自力整体がオススメ。肩甲骨をほぐせば、肩がリラックスできるため、肩コリになりません。

また、心配事などのストレスを解消することも大切です。

それには、33ページで紹介した「忘れ箱」が効きます。心配事や悩み事などのストレスを感じることがあれば、そのなかに捨ててしまいましょう。

肩甲骨ほぐし

2◎4

Points

前後左右に肩を動かしてほぐす。

1 四つんばいになり、ヒジを直角に曲げて肩甲骨をゆする。

2 おでこを床につけて、肩甲骨の内側をほぐす。

3 髪の毛の生え際を床へつけ、肩甲骨の内側に効くように軽くバウンド。

4 頭のてっぺんをつけてバウンドさせてもよい。

これもオススメ!

背中・肩のコリほぐし(左) ➡P.72 1◎7

横座り骨盤ねじり(右) ➡P.96 4◎5

腰痛のない イキイキとした 笑顔を再び

◇腰痛になるには

腰痛の一番の原因は、満腹のまま眠ってしまうことです。

おなかにものがない状態で睡眠すれば、眠っているあいだ自然治癒力が活発になります。そして老廃物を回収したり、ゆがんだ背骨を矯正し、整体に近づけます。

しかし、満腹で睡眠をすると、自然治癒力が食べ物を消化することに使われ、老廃物を回収するエネルギーに使われません。また次の日の排泄《はいせつ》もスムーズにできなくなります。

そのため、大腸に滞留便が残って、その重さから骨盤がゆがみ、腰痛になるのです。

また、通常寝ているあいだに行われる骨盤の引き締めも、満腹のまま睡眠したときは機能しません。それどころか、おなかいっぱいの状態で眠った場合、胃の中のものが腰の上に乗るような格好になります。それが腰痛や座骨神経痛のもとになるのです。

また、腹筋が弱い人も、同時に腰痛持ちである場合が多くなっています。腹筋がゆるむとバランスが崩れ後ろ側の腰が緊張し、痛みとなるのです。

◇腰痛を治すには

腰痛を治すには、まず、空腹で眠ること。そして、朝食を抜くことです。

これらを実践すれば、大腸の働きが活発になり、滞留便を排泄できるようになります。

また、腹筋や骨盤の周りの筋肉を引き締めておくことも大切です。

これらを引き締めておけば、カラダのバランスが保たれ、背骨や骨盤もシッカリと引き締められ、ゆがみにくくなります。

次ページで紹介する自力整体は、骨盤の左右差をなくしたり、腹筋を鍛えたりするものです。

これらをシッカリ行えば、腰痛ともオサラバできるのです。

横座り骨盤ねじり（右）

4-5

1 右の足の裏を左のももの内側につけて座り、

2 左手を腰に当て、右手を後ろの床につけて腰を右にねじる。

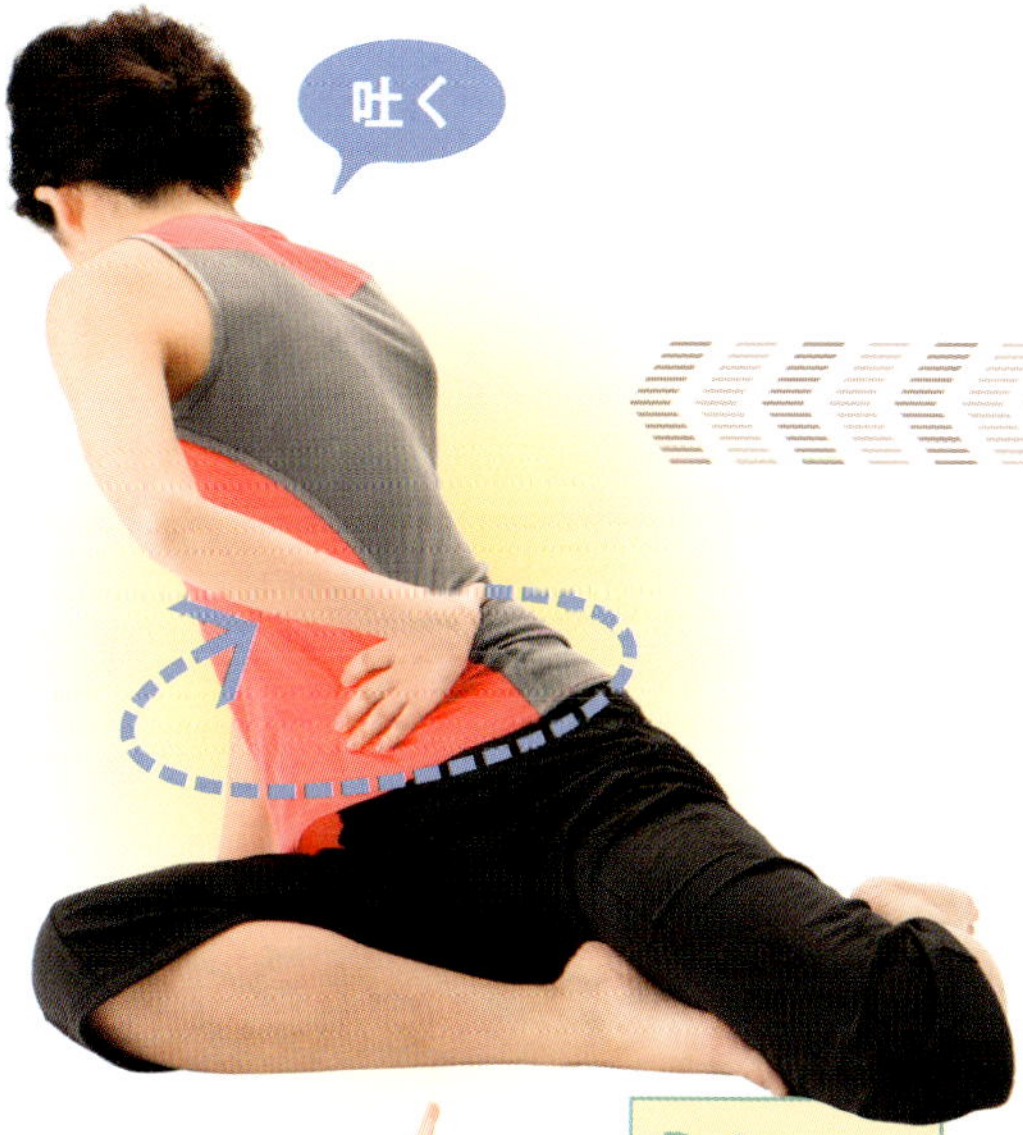

Points
左のヒザを後ろに引くように。

3 左手で右ヒザを押さえ、さらに右へねじる。

4 カラダを戻し、右ヒジを左手で持って頭の上に上げ、

つづき← 4-5

5

カラダを左側へ倒すようにして、右ワキを伸ばす。

6

右ヒジをカラダの前で左に引っ張り、カラダも左へねじる。

7

右手で左の足首をつかみ、左手は後ろの床に置き、左にねじる。

これもオススメ!

腰・股関節ほぐし(左)➡P.70 1-4
骨盤のゆがみ治し(右)➡P.104 6-1

反対側も同様に行う

LESSON 4

自力整体をやってみよう!

1 首・肩・背中をほぐし美しいバストをGET

- バストUP
- 猫背
- 首・肩コリ
- 目の疲れ
- 便秘

まずは準備運動です。ココロを整えてからおなかをマッサージ。
骨盤や股《こ》関節《かんせつ》をほぐせば、内臓の働きもスムーズに。
首・肩コリなどを気持ちよく解消していきましょう。

1-1 正座

目を閉じて、意識をカラダの内側に集中します。

Points
呼吸は鼻呼吸で行う。

1
正座をして深呼吸をする。

1-2 深層筋マッサージ

おなかの奥のほうにある筋肉をほぐします。

1
両手を下腹部に当て、カラダを前へ倒す。

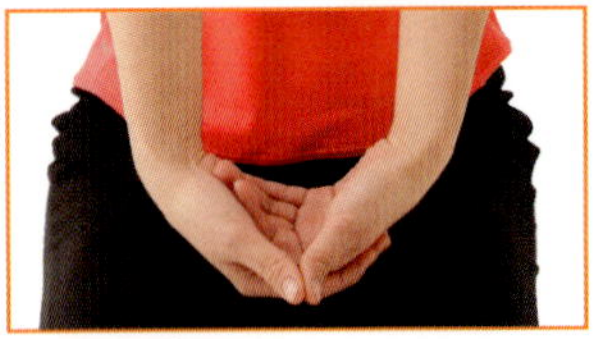

両手を重ねる。

吸う

2

後ろにのけぞり、
ノドを伸ばし、

3

おでこを床へつけ、右の
手のひらを左へ押し込
み、お尻は右へゆする。

Points
手とお尻は逆の方向へ動かす。

吐く

4

左の手のひらを右へ押し
込み、お尻は左へゆする。

吐く

5

息を吸いながら起き、
手の甲でももを押し、
上体を上に伸ばす。

Points
お尻が浮くくらい上に伸び上がる。

1-3 骨盤ほぐし

骨盤を左右にゆすってほぐし、骨盤と肋骨《ろっこつ》のあいだを開いていきます。

Points

助骨を持ち上げながら、ゆっくり繰り返す。

1

ヒザ立ちになり、両手で骨盤を左右に押し下げる。

1-4 腰・股関節《こかんせつ》ほぐし（左）

四つんばいになって、股関節や外もも、腰の周りのコリをほぐします。

1

両手を床につけ、左脚を横に伸ばす。

2

左手を左ヒザに当て、左脚の屈伸を繰り返し、股関節をほぐす。

Points

屈伸を繰り返しながらゆっくりほぐす。

3

左手を下へすべらせて足首をつかみ、頭を床につけてほぐす。

Points

カラダをゆすりながら、腰や股関節をほぐす。

1-5 腰・股関節ほぐし(右)

1-6 骨盤ほぐし

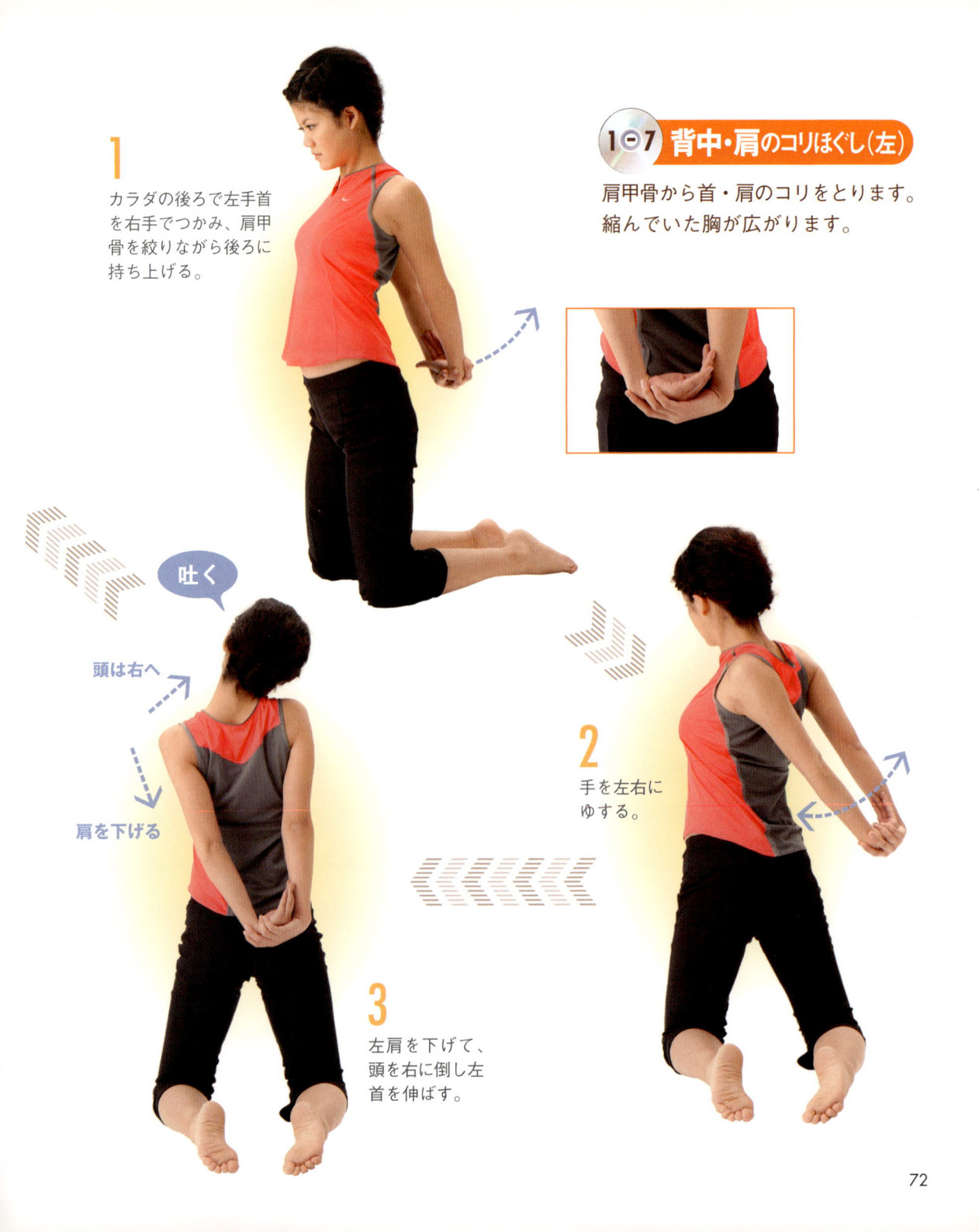

1-7 背中・肩のコリほぐし(左)

肩甲骨から首・肩のコリをとります。
縮んでいた胸が広がります。

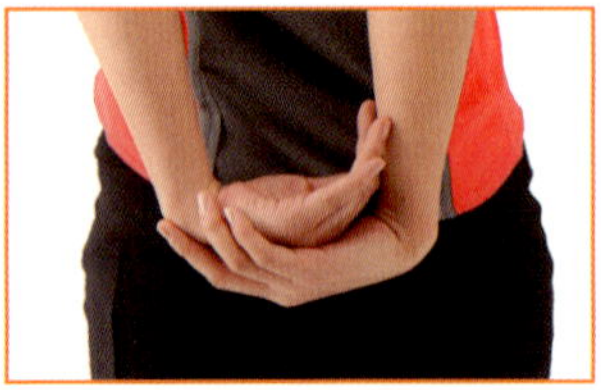

1

カラダの後ろで左手首を右手でつかみ、肩甲骨を絞りながら後ろに持ち上げる。

2

手を左右にゆする。

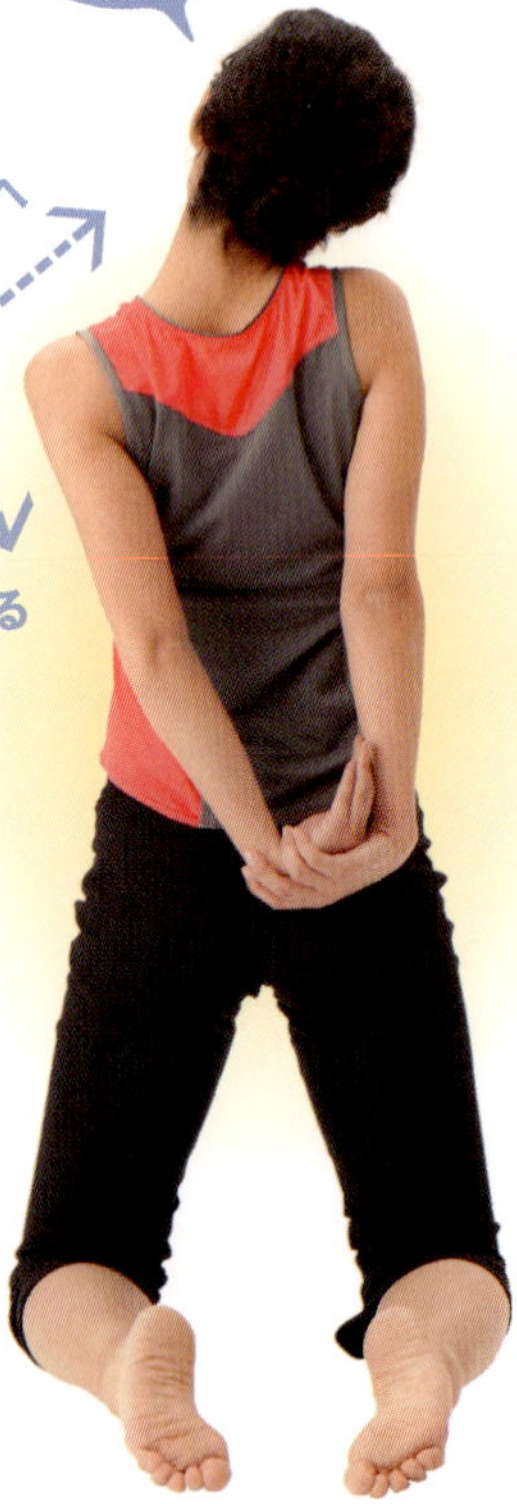

3

左肩を下げて、頭を右に倒し左首を伸ばす。

4

右ヒザを立て、左手の親指を
右手で下から握る。

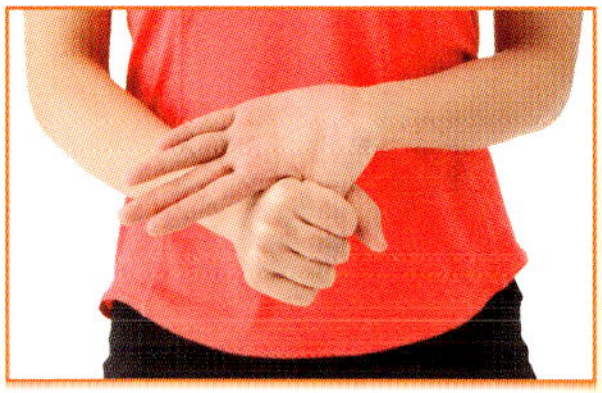

5

胸に引き寄せ、

6

親指を強く反ら
しながら左手を
前に伸ばす。

Points

アゴを引き、背中を広げる。

つづき 1-7

7

左手を右へ引っ張って、

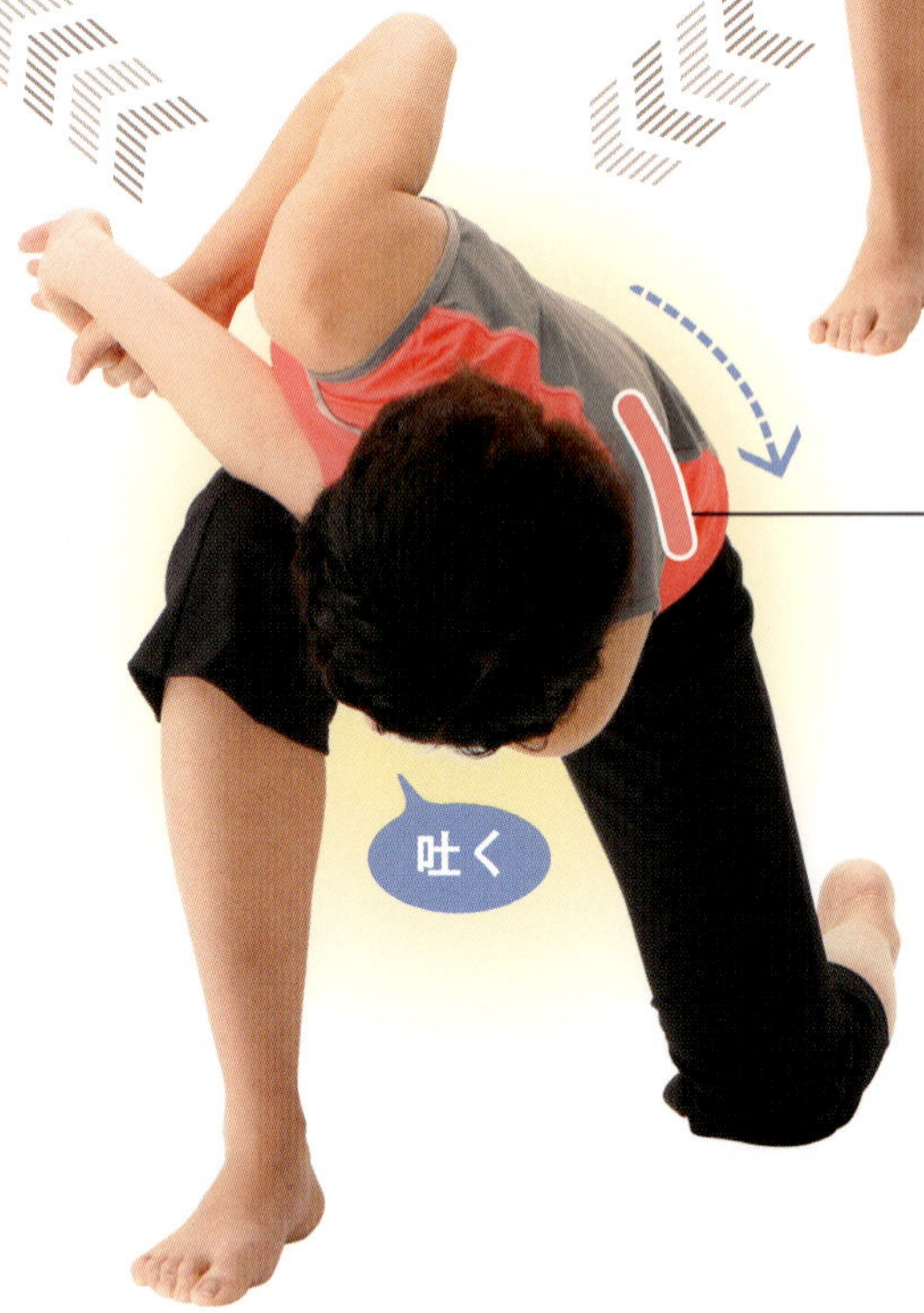

8

右ももに左ヒジを乗せ、カラダの重みで腕を圧迫する。

Points

左肩を下げると、肩甲骨に効く。

Points
左の横腰に効かせるように。

9
ヒジをヒザの外に引っかけ、上体を右へねじる。

10
カラダを戻して、左肩を下げて背中をほぐす。

11
右手をヒザの上に乗せて、アゴを出し、

つづき
1-7

12

ゆっくり起き上がる。

13

左手の甲を上にして、下から上へ腕を大きく回す。

Points
左ワキが伸びるように。

14
頭の上でさらに伸び上がるようにして、

15
後ろの壁を押すように、ゆっくり回して下ろす。

1-8 骨盤ほぐし

1-9 背中・肩のコリほぐし(右)

2 ぷよぷよ二の腕と猫背をなおそう

二の腕のたるみ
バストUP
首・肩コリ
猫　背
生理痛

肩甲骨や手首、ワキをじっくりとほぐしていきます。
肩甲骨がほぐれると猫背が治り、
ワキがほぐれると二の腕が引き締まります。

2-1 四つんばいカラダ回し

四つんばいになり、脱力して自由に動かします。とくに肩甲骨、肩関節をほぐします。

1

ゆったりと肩を回しながらほぐす。

Points

指先を外側に向けるとほぐしやすい。

2

大きく上へのけぞって、おなかを伸ばす。

2-2 手首ほぐし(左)

手首や指をほぐします。手首には重要なツボがたくさんあります。また、腕の内側を圧迫して刺激します。

Points
ワキが伸びる位置に手を移動する。

1
左の手の甲を床に下ろし、左右にゆれながらほぐす(痛くしないように)。

2
左手をゆっくりと裏返し、そのまま左腕を前へ。

3
左ワキを下ろし、左のこめかみを床につける。

つづき 2-2

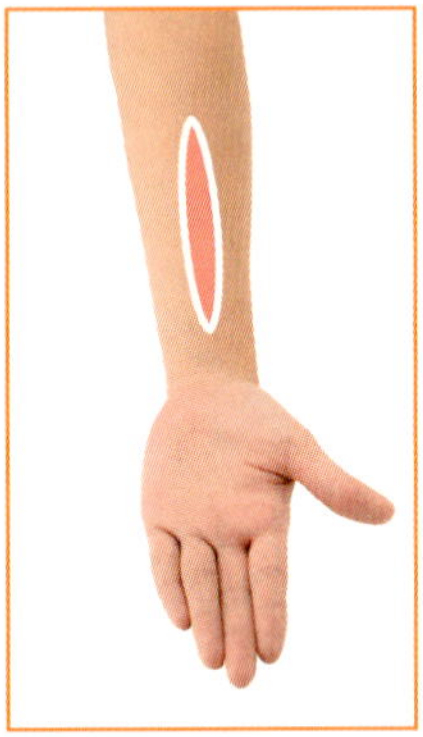

筋肉が張っているところを踏む。

4

伸ばした腕を下げて、右ヒザで圧迫する。

Points

カラダは右ヒジとおでこで支えると圧迫しやすい。

5

両ヒジとおでこを床につけて休憩。

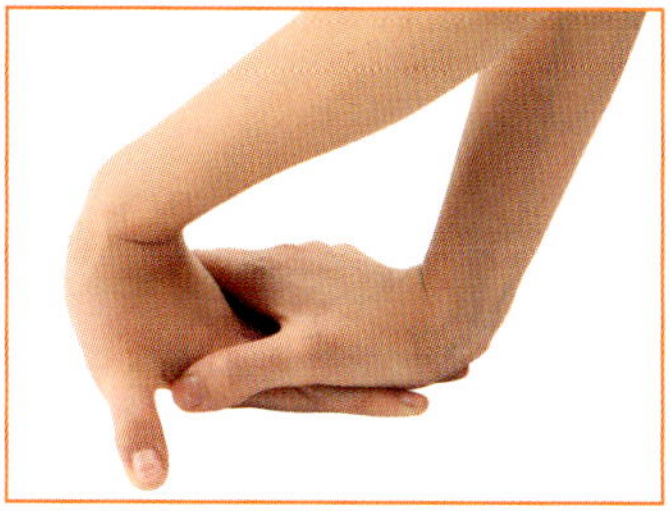

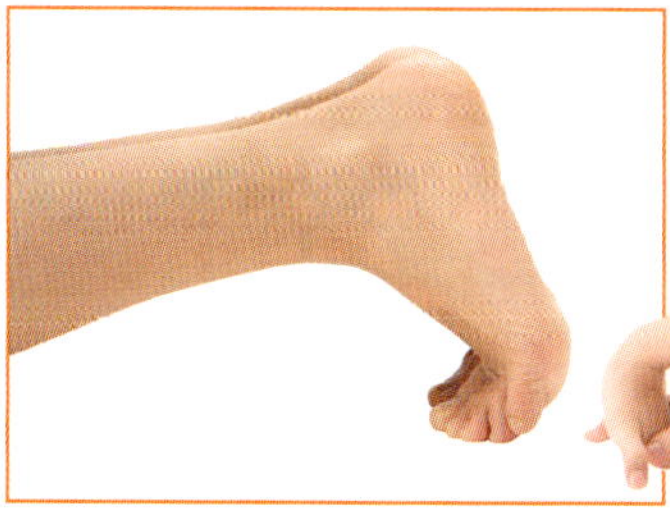

足の指を立てる。

6

左手を逆手にし、右手で左指の付け根を押さえ、お尻を後ろに引く。

やわらかい人は頭をつける（痛くないところで止める）。

7

左の手のひら全体を床につける。

やわらかい人は右ヒジをつける（痛くないところで止める）。

2-3 手首ほぐし（右）

2-4 肩甲骨ほぐし

四つんばいになってカラダをゆすり、肩甲骨の内側をほぐします。

1

手を大きく開いて指先を内側に向け、肩甲骨をゆする。

2

おでこを床につけて、肩甲骨の内側をほぐす。

Points

前後左右に肩やカラダを動かしてほぐす。

3

髪の毛の生え際を床へつけ、軽くバウンド。

頭のてっぺんをつけてバウンドさせてもよい。

2-5 両ワキ伸ばし

ワキの縮んでいるところを伸ばします。

1

上体を前方に伸ばして、アゴをだしながらノドを伸ばす。

Points

おでこでカラダを支えながら左右にゆする。

2

胸を下げておでこを床につけ、左右にゆすって、両ワキを伸ばす。

2-6 踏み込み

脚を踏み込み、お尻からかかとまでの縮みをとります。

1

お尻を上げ、右脚を上げて左脚を踏み込み、左右にゆらす。

Points

手脚にしっかりと力を入れて床を押す。

2

左脚を上げて右脚を踏み込み、左右にゆらす。

3

両脚を踏み込み、頭を中に入れる。

4

正座になってゆっくりと大きく深呼吸。

2-7 休憩

あおむけになって休憩します。カラダをゆすったりして、どんどん脱力していきましょう。

Points
アゴを少し上げてノドを開く。

1

大の字になって休憩。

3 足の裏を刺激して便秘・冷えとサヨナラ

O脚
二重アゴ
便秘
冷え
ヒザの痛み

足の指や足首、足の裏、内股《うちまた》を中心にほぐして、コリとツボに刺激を与えていきます。痛いところはむしろ時間をかけてじっくりと。

3-1 あおむけ首伸ばし

腰をほぐしたあと、首を伸ばします。

1

手で両ヒザをつかみ、ゆらして腰をほぐす。

2

頭の後ろで手を組み、左首、右首と伸ばす。

3-2 足の指回し

足の指を回したり、引っ張ったりしてほぐします。足の指には重要なツボがたくさんあります。

1

足の親指をつかみ、手前に引っ張りながら大きく回す。

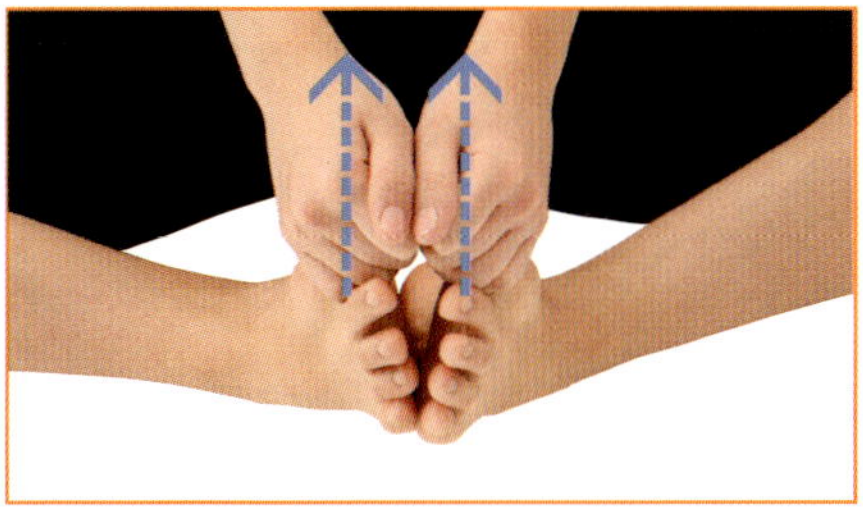

親指を手前に引っ張る。

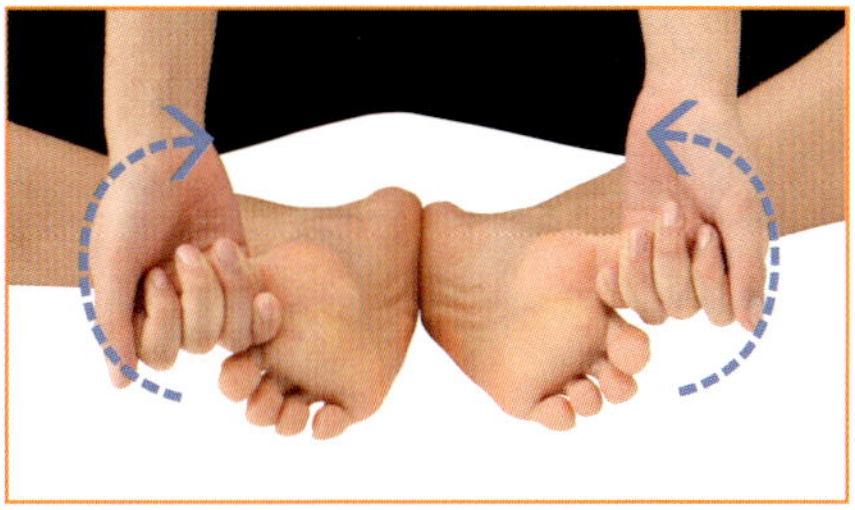

大きく回す。

つづき 3-2

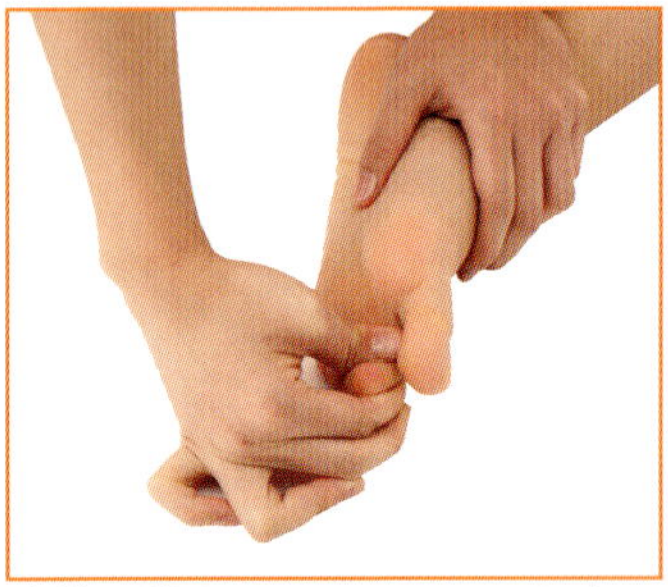

人差し指をつかみ、ツメのほうに引っ張る。

2

足の指を人差し指から小指まで引っ張る。

3-3 足のツボ刺激

足のかかとを使って足裏のツボを刺激します。硬いところは老廃物が溜《た》まっています。

1

左の足の裏に右のかかとを当て、体重をかけて踏む。

Points

両つま先は同じ方向に向ける。

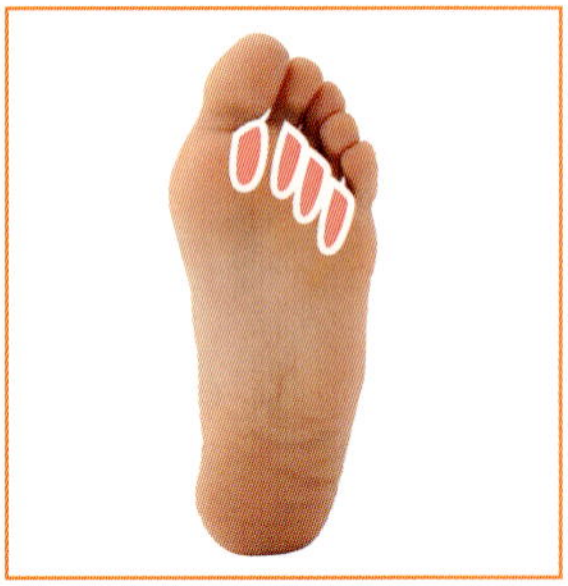

指と指のあいだは老廃物が溜まりやすい。

3-4 足の裏踏み

土踏まずや足の甲、アキレス腱《けん》を刺激します。足首にも重要なツボがたくさんあります。

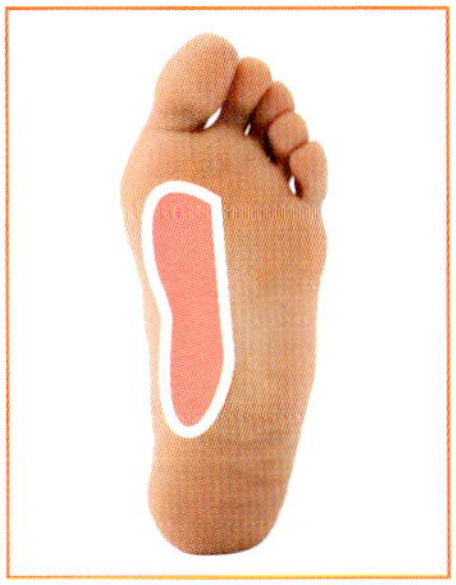

土踏まず

Points

凝って硬くなっているところを探してほぐす。

1

左足の土踏まずをかかとで踏み、ヒザを回してほぐす。

2

左手を床につき、左ヒザを軽く浮かせ、

つづき 3-4

吐く

3

右手で左ヒザをつかんで
胸へ引きつける。

ココに効く

吐く

反対側も
同様に行う

4

つかんだヒザを床に下ろし、
右のヒザを前に突き出す。

Points

**右足のアキレス
腱を伸ばす。**

3-5 内股《うちまた》ほぐし（左）

内股や股関節《こかんせつ》をほぐします。ここが硬いとO脚になり、脚の外側にぜい肉などがつきやすくなります。

1

左脚を横に伸ばし、両手でヒザを押さえて骨盤を左右にゆする。

2

カラダを左斜め前に倒して、左側にゆする。

Points

できれば左足の親指も前に倒す。

3-6 内股ほぐし（右）

4 やわらかい股関節《こかんせつ》で細いウエスト＆美脚に

細いウエスト
姿勢
O脚
冷え
ヒザの痛み

股関節、足首、腰を中心にほぐしていきます。
股関節などは、ほぐして左右差がなくなったら、
それを維持するように引き締めておきます。

4-1 開脚股関節《こかんせつ》ほぐし

内股《うちまた》や股関節を刺激します。ここがやわらかいと長時間立つことも平気です。

Points

股関節の硬いところをマッサージするように。

1

開脚してカラダを前後にゆらし、股関節をほぐす。

2

上体を前へ倒し、前後に骨盤をゆする。

Points

痛くないところまで曲げ前後にゆする。

4-2 股関節引き締め

股関節を引き締めます。ほぐす、締めるを繰り返すことで、アンバランスがなくなります。

1

両ヒザを曲げ、つま先を外側に開いてヒザ同士をくっつける。

2

お尻は床につけたままヒザを下ろし、前後にゆする。

Points

痛いときはムリして床につけない。

4-3 足の甲伸ばし（左）

足の甲を刺激して血流をよくします。

吸う

1

右脚を前に伸ばし、
左の足の甲をお尻の下に敷く。

吐く

Points

痛くないところまで伸ばす。

2

左ヒザをゆっくり持ち上げ、
徐々に外側に開く。

4-4 外ももほぐし(右)

太ももの外側をほぐします。同時に足首も伸ばします。

1

右足を左ももの付け根に置いて座る。

やわらかい人はおでこをつける。

2

腰を伸ばしてそのまま上体を前へ倒す。

4-5 横座り骨盤ねじり（右）

横座りで腰と肩甲骨をほぐします。ここでは、2人で行うやり方も紹介しています。

1

ももに乗せた右足を床に下ろす。

2

左手を腰に、右手を後ろの床につけて腰を右にねじる。

Points

左のヒザを後ろに引くようにする。

3

左手で右ヒザを押し、
さらに右へねじる。

Points

左のヒザで床を
グッと押さえる。

2人で行う場合

補助される人の左ヒザを動かないように固定し、右手で相手の右肩を手前に引きながら、左腰を左手で押して上体を右へねじる。

つづき 4-5

2人で行う場合

補助される人の右ももの付け根に右足を置き、両手で相手の右手を真上に引っ張って右ワキを伸ばす。

4

右ヒジを左手でつかんで、上に上げ、

5

カラダを左側へ倒すようにして、右ワキを伸ばす。

2人で行う場合

補助される人の左ワキに左手を入れて肩をつかみ、右手で相手の肩を押して左に上体をねじる。

6

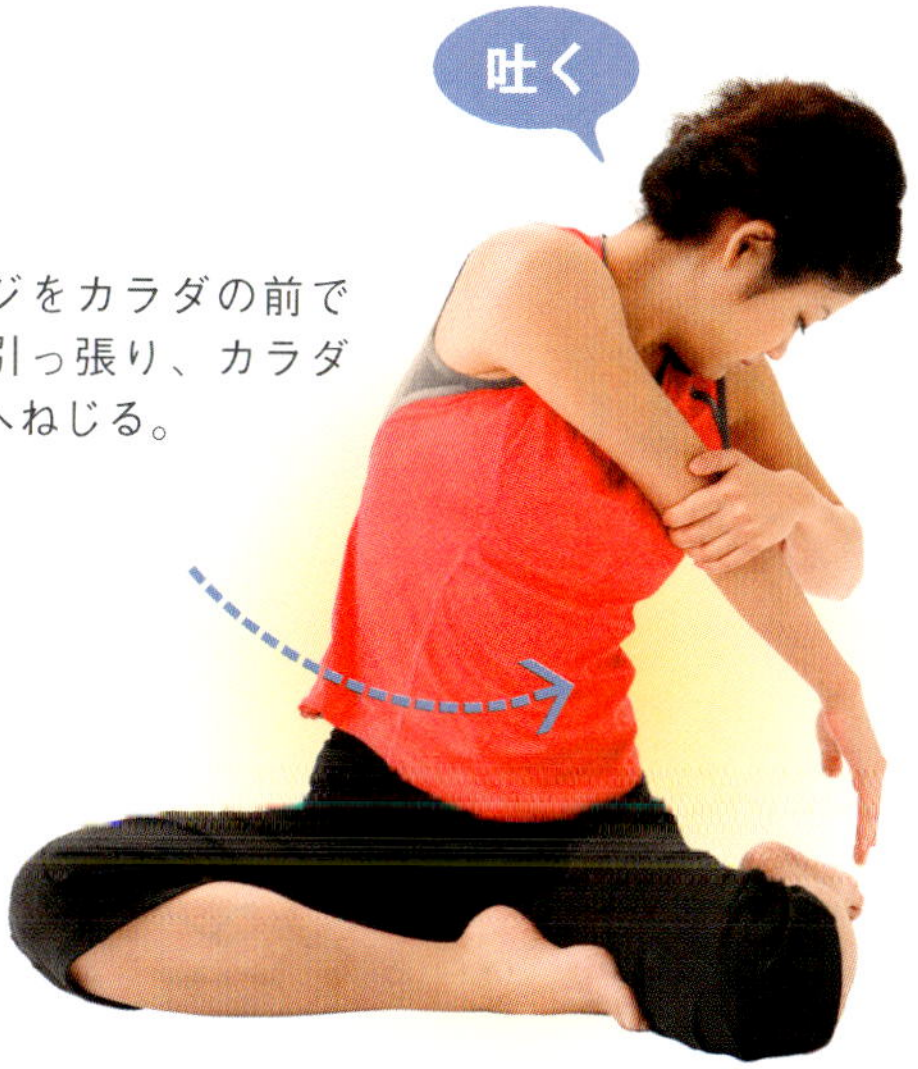

右ヒジをカラダの前で左に引っ張り、カラダも左へねじる。

7

右手で左の足首をつかみ、左手は後ろの床に置き、左にねじる。

Points

右手で左の足首を引っ張ると効果的。

- 4-6 開脚股関節ほぐし
- 4-7 股関節引き締め
- 4-8 足の甲伸ばし(右)
- 4-9 外ももほぐし(左)
- 4-10 横座り骨盤ねじり(左)
- 4-11 開脚股関節ほぐし
- 4-12 股関節引き締め

5 手に入れよう！ 憧れのヒップライン

美脚
ヒップUP
バストUP
細いウエスト
腰痛

反り腰を矯正し、前後のゆがみをなくします。
背筋をまっすぐにし、ヒップや太ももを引き締めます。
同時に腰痛などの痛みも取り除きます。

5-1 反り腰治し

腹筋を引き締め、反り腰を矯正します。また前後に転がし、腰をマッサージします。

1

両つま先をつかんでゆすり、ももの裏側をほぐす。

2

力を入れたおなかに両手を当て、腰を床につけ、

Points
4、5回繰り返す。

3
反動で起き上がる。

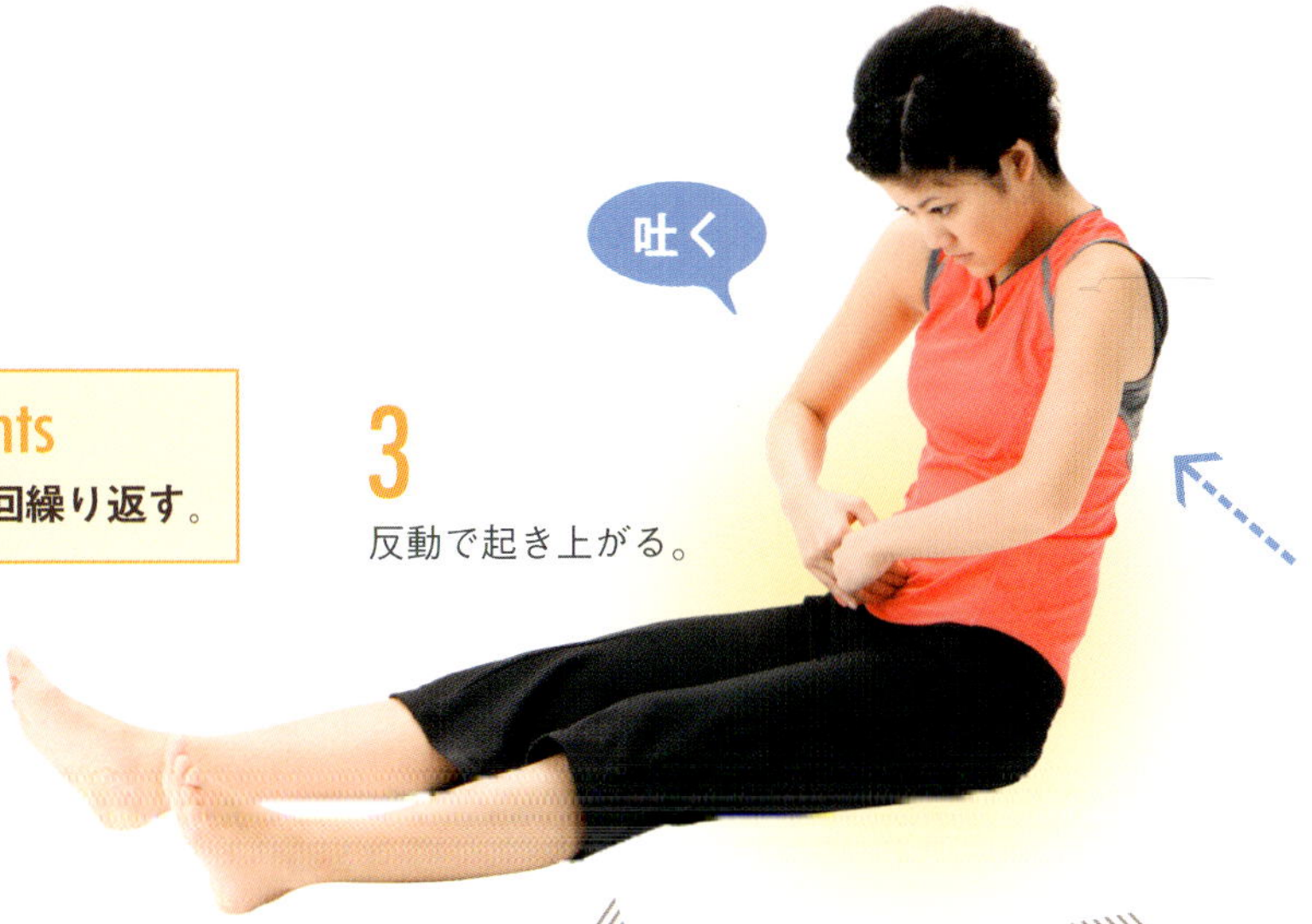

4
両手で左ヒザを持って
アゴを引き、

Points
右足を浮かせな
いように。

5
腰を床につけ、前後に
ゴロゴロ転がし、最後
に起き上がる。

反対側も
同様に行う

5-2 ヒップ持ち上げ骨盤締め

お尻を持ち上げて背筋を鍛えます。同時に骨盤や脚、ヒップも引き締めます。

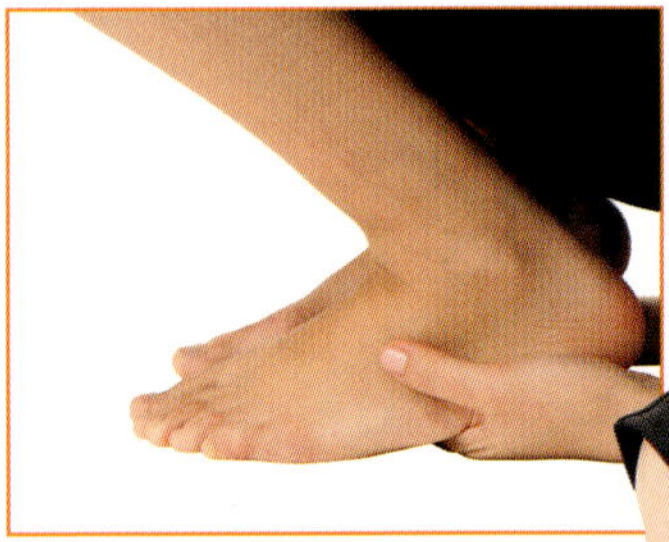

1

あおむけで両ヒザを立てて、かかとをつかみ、

2

お尻を上へ持ち上げる。

5-3 あおむけ腰ほぐし(左)

背筋やお尻、ももを引き締めます。同時に腰をひねってほぐします。

1

ヒザを閉じ、両手をおなかに当てて、左右にゆすりほぐす。

2

手を横に開き、お尻にかかとをつけて両ヒザを右に倒し、

Points

両ヒザは閉じたまま。

3

右手で左のワキ腹をつかんで引っ張る。

Points

つま先で床をけりながら腰を反らせる。

5-4 あおむけ腰ほぐし(右)

5-5 ヒップ持ち上げ骨盤締め

6 もう悩まない！ 腰痛、生理痛

- 便秘
- 細いウエスト
- ヒップUP
- 腰痛
- 生理痛

タオルを使って背骨と骨盤をほぐします。
骨盤のアンバランスを整え、プロポーションと健康の
基本となる左右のゆがみのない骨盤を手に入れます。

6-1 骨盤のゆがみ治し（右）

背骨と骨盤をほぐして整えます。同時に腰やワキも伸ばしていきます。

※長めのタオルを用意！

1

両方の足の裏に
タオルを引っかけてゆする。

Points

腰を少し前後に
ゆする。

2

左脚は床へ下ろし、右手でタオルをつかんで、左手を骨盤の上に置き、

3

右脚を床に下ろして左脚をゆする。

Points

左脚は貧乏ゆすりのようにゆする。

つづき
6-1

4

左脚をゆすりながら、左手をバンザイのように上に伸ばす。

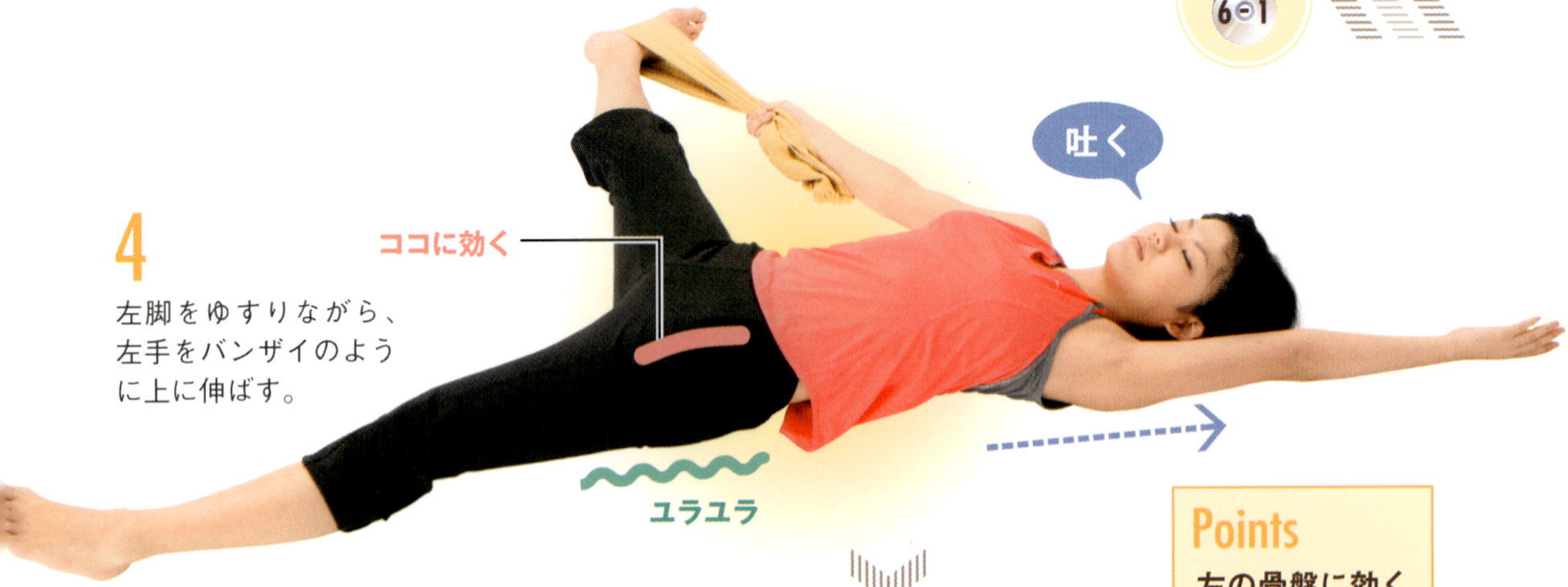

Points

左の骨盤に効くように左脚をゆする。

Points

伸ばした左脚は少し右へ寄せる。

5

右脚を戻し、タオルを左手に持ち替え、

Points
顔を右へ向けると、より効果的。

6
右手を横に広げ、ゆっくりと右脚を左側へ倒す。

6-2 骨盤のゆがみ治し(左)

6-3 ヒップ持ち上げ骨盤締め

6-4 休憩

大の字になって休憩します。

1
大の字になり、カラダの力を抜いて休憩します。

7 ねじれを整え凜《りん》とした美しい姿勢に！

ねじれをとってカラダのバランスを整えます。
自信に満ちた品のあるエレガントな姿勢を、
左右差のない整体の美しい姿勢を手に入れましょう。

- O 脚
- ヒップUP
- 高血圧
- 首・肩コリ
- 頭 痛

7-1 骨盤ほぐし

下半身を引き締めた状態で、骨盤を左右にゆすりほぐします。

1

つま先を開いて立ち、骨盤に手を当て左右へゆする。

Points

骨盤を下げ、肋骨を上げる感じで。

7-2 両腕の前後ゆらし

下半身を引き締めた状態で、両腕を前後にゆらします。

1

下半身をグッと引き締める。

2

肩の力を抜いて両腕を前後に振り、リラックスできてきたら、脚を開いて両腕を前後に振る。

Points

下半身を引き締め、上半身は軽く上に持ち上げる気持ちで。

7-3 片脚立ち水平バランス

片脚立ちを繰り返し、O脚を治します。また、カラダ全体のバランスも整えていきます。

Points

目線は動かさないで遠くを見るように。

1

両腕を横に広げて水平にし、

Points

左手を後ろに伸ばして安定させる。

2

左ヒザを持ち上げて右手でつかむ。

3
両腕を横に水平に広げ、

4
右ヒザを持ち上げて
左手でつかむ。

Points

左右の片脚立ちを何度か繰り返す。

みんなの! わたしの!

自力整体 体験談

✉・1

5～10歳も若く見られます

茨城県土浦市　阿倍京子さんより

私は自力整体歴6年、ナビゲーターとしては4年になります。

下の2枚の写真、左は5年前に撮ったものです。この頃は、3人の子育てと自営業の主人の手伝いなどで、自分に目を向ける時間がまったくといっていいほどありませんでした。また、向けようともせず物質的に、つまり食べることでココロの欲求を埋めていたように思います。

当時のウエストは66～69センチと、服選びはほとんどゴムつきで、ゆったりしたものなら大歓迎でした。

そんなとき、友人からの紹介がきっかけで「自力整体」に出会います。その終ったあとの爽快感《そうかいかん》が忘れられず自力整体教室へ通いはじめたのです。

以来、月日とともに私のカラダは確実に変わってきました。私が変わったことで、ひとり、またひとりと〝自分にとっての健康〟を見つめ直す仲間が増えています。

いま指導をしていて一番嬉しいのはなんといっても、終わったあとの生徒さんの笑顔。カラダがほぐれてココロも穏やかになり、やさしい笑顔が見られたときなのです。その喜びが私を前向きにします。転んでも落ち込んでも、それはそれで休息の時間、学びの時間なのだと思えるようになりました。

「自力整体」という入口から、さまざまなことを学び、開けていった私の人生です。ありがとうございます!

阿倍京子

5年前

現在（49歳）

✉・2

熊本県熊本市　陣内松子さんより

快便で7キロ減！

平成17年、当時の私は左脚のヒザがはれて水が溜《た》まり、整形外科で治療を受けるようにと勧められて、「なにかいい方法、自分でできることはないか」と考えていたときです。近所の大学図書館で『自力整体法の実際』（農村漁村文化協会）という矢上先生の本に出会いました。目が覚める思いで「コレだ！」と感激して手にとったのを思いだします。

その後すぐに整食法と自力整体を実践して、いまではすっかりハマっています。

以前の食事は、添加物などの少ないものを手作りでと思い一日30品目を心がけていました。そのときの体重は65キロ。朝・昼・晩とたくさんの食材を取り入れてはカラダによいから頑張るという毎日。運動もカラダによいと考えてスポーツクラブに通い、ときどきエアロビクスもやっておりました。

でも、痩《や》せません。体脂肪率もコレステロールの値も高いままでした。

現在、朝は水分のみにして自力整体を行い、昼は白いご飯やうどん、そばなどをいただき、夜はおかずとビールを350ミリリットル飲みます。便秘も治り、いまでは毎日快便で腰回りがスッとしてとても気持ちいいです。

体重は7キロ減って58キロ。ウエストは75センチから68センチ、服のサイズも13号から11号に変わり、おしゃれも楽しめるようになりました。もちろん、体脂肪率やコレステロールの値も改善。ヒザの痛みはほとんどなく、自力整体に出会ってからは病院に行くこともありません。

これまで食にこだわりを持って生活していましたが、このこだわりを捨て、自然体で生きることの楽しさを満喫しております。

感じることやココロの持ち方で心身ともに健康になれる。そのため、余分なものやお金を持とうという欲心もセーブが効いています。お友だちも「そんな生き方は楽しいだろうね」と共感してくれます。

矢上先生との出会い、自力整体との出会いに深く感謝しています。これからもよろしくお願いします。

陣内松子

3

愛知県尾張旭市　水野瑛都子さんより

60歳を超えてもパンプスが履《は》ける！

6年前のこと。

58歳、久しぶりに東京へ！　ワクワクしながら久しぶりのおしゃれを楽しもうと意気込んでみたものの、それに合う靴が問題です。パンプスじゃないと決まらない！でも階段の上り下り、電車の移動なども考えると、一日中パンプスを履いての行動にはまったく自信がなく……。結局、タウンシューズでカジュアルおばさんスタイル。

ああ〜嘆かわしい！

55歳まではブティックを経営していましたので、毎日7センチのパンプスを履き、週一度は東京〜大阪〜神戸と平気で出張。しかしそんな過去はまるでウソのよう。たった3年間ですっかり脚が弱っているのです。

当時テレビやラジオで盛んに繰り返されていた「○○を食べると活性酸素の除去！」や「□□ホルモンが活性化する！　若返る！」等々の影響から、よいといわれるものをどんどん食べました。〝健康になりたい！〟その一心で。

とはいっても55歳、代謝機能の低下した女性のカラダには栄養過多だったのでしょう。ここからが肥満、内臓下垂《かすい》、頭痛などさまざまな生活習慣病のはじまりです。

なんとか足腰を改善したくて必死に整体院などに通ったものですが、いっこうによくならない。そんなある日のことでした。なにかに誘われるように『自力整体法の実際』（農村漁村文化協会）というその本の前に立っていたのです。気になって中身をパラパラめくると、

- **「他力」による治療から、「自力」による予防へ**
- **あちこちが痛くて動かせない人でも取り組める**

などのことが書かれていました。

この言葉はまさに私のためにあるような！

飛んで帰って、早速付属の音声CDをセットして本の写真を見ながら実践。すると痛みは日に日に改善し、むくんでいた脚が細くなって、履けなかったジーンズが履けるようになり、11号になって嘆いていたウエストが9号に戻り、なによりパンプスを履いて以前のように歩けるのです。むしろ以前より元気に歩けるし、おしゃれは靴までトータルに決まる。もう、自力整体バンザ〜イ！　でした。

今秋、祭りのイベントで一般市民がモデルとなって参加するファッションショーがあり、私はショーの企画委員になりました。また、モデルさんの外反母趾《がいはんぼし》、O脚などトラブルを抱えた人の脚（足）のお手入れやパンプスを履いてのモデルウオーク（！）の指導も任されました。

ただいま、ショーの成功に向けて張り切りつつ、80歳まで現役で、パンプスが履ける足を目指しています！

水野瑛都子

4

肩コリがなくなりました！

愛媛県松山市　村上由利子さんより

私は高校生のときから肩コリがひどく、いつも肩には塗り薬。就職した頃からはさらに悪化して、ひどいときには頭痛や吐き気まで催しました。

整形外科での診察では、首が原因だろうといわれて、電気治療や首の牽引《けんいん》をしながら、月に2回は針治療にも通っていました。

就職してからもずっと、針治療やマッサージは欠かせませんでした。それをしないと仕事ができないほど、肩や背中のコリがひどかったのです。

そしていまから5年前、知人の紹介で、週2回の自力整体教室へ通うようになりました。

1年目は正直いってあまり効果は感じられなかったのですが、月に2回の針治療が月に1回になり、いつの間にか頭痛や吐き気がなくなっていたのです。2年目からは、まったく針治療に行かなくても仕事ができるようになったのです。

そして、一昨年の健康診断で首のレントゲンを撮ると、当時の肩コリの大きな原因であった首の骨のすき間に明らかな改善が見られ、昨年の健診では、もうほとんど正常な形になっていました。これには、整形外科医も驚いていたほどです。

現在は、整食法も実践して体温も上がり、排泄《はいせつ》のよい体質になってきていることを実感しています。

また、カラダの不快感がまったくなくなったので、いつも明るく、何事にも前向きな姿勢で取り組むことができ、毎日を生き生きと過ごしています。

職場の仲間も私の姿勢や元気のよさに興味を持ち、私のようになりたいという人がひとりふたりと増え、いまでは一緒に自力整体の教室に通っています。

まず私の周りの人たちがもっともっと自力整体を知り、実践し、自分のカラダで自力整体のよさを実感して、その人たちがまた、自分の周りの人たちによさを伝えていく。そうなってくれたらいいなぁ、と心から願っています。

村上由利子

✉・5

いまではすぐに眠れます

香川県高松市 林奈智子さんより

私は2007年の8月より、ビデオを見ながら自力整体を実践しています。

職業はフットセラピストで、10年ほど前から足を中心としたボディワーク関連の仕事をしています。

そしてデイケア施設でフットマッサージの施術を2007年5月からはじめました。

ところが自分のケアをおこたったことがたたって、背中から肩のコリがだんだんときつくなり、7月頃にはひどい不眠症に。眠れても朝方の2時間、ひどいときは30分くらいウトウトするだけです。

眠りたいのに眠れないというストレスで、ますますコリがひどくなっていきました。

「カラダが疲れ切ると眠れるかな?」と考え、いっぱい歩いたりしました。でも逆に肝臓や腎臓《じんぞう》に負担をかけてしまい、不眠はひどくなる一方。夏の暑い盛りに、心身ともに疲労してとてもつらかったです。

それでもなんとかしようと、漢方・鍼灸《しんきゅう》などいろいろトライしました。

継続すればそれなりに効果はあったのでしょうが、日々の仕事もあり、その即効性を求めると、どれもいまひとつ。漢方・鍼灸などお金がかかり過ぎるのも難、というよりさらにストレスのもとに……。

そこで出会ったのが自力整体です。ビデオを見ながら体験してみると、カラダがリラックスできて、その日からすんなり快眠に。久々に自力でぐっすりと眠れた朝の幸福感は言葉で表現できないほどです。

いまでは自力整体をはじめるとすぐ睡魔が襲ってくるので、困っているほど……。

以上が私の体験です。

自力整体はとにかく即効性と継続性があること、お金がかからないこと、好きな時間でできること、ひとりでも複数でもできることなどメリットばかり。とても素晴らしい独自の健康法です。

今後はぜひ仕事の一部に加えたいと考えております。

林奈智子

6

思いがけないダイエット!!

福岡県春日市　中村佳津子さんより

結婚してから出産までのわずか1年半で体重が一気に30キロUP。その後30年間のほとんどをダイエットに費やしてきました。

しかし、55歳のときに2度目のピークが訪れます。仕事の忙しさからくるストレスを、食べることで紛らわして体重はうなぎのぼり。仕事で疲れ果ててヘトヘト。横になると左の肩甲骨のところが、ズキズキと痛んで1時間ぐらい眠れないのです。

松葉杖《まつばづえ》のお世話になったり、脳梗塞《のうこうそく》の疑いにより救急車で運ばれたこともありました。若いときはなんとか持ちこたえていた重いカラダでも、年齢とともに耐えきれず、まさに悲鳴を上げていたのです。もう限界……。

長いこと蓄積された疲れをそのままにしていたいままでの不摂生を省み、自分のカラダに「ごめんね」と。

そんなとき、自力整体にめぐり会ったのです。

退職した翌日、朝10時から日課のごとく毎日続けました。実技をすると温泉に入っているような幸せな感覚が、じわじわ～っとココロに広がっていきます。老廃物が絞りだされ、どうにもならなかったカラダが少しずつ元気を取り戻して、心地よい満足感が全身を覆っていきました。

自力整体と同時進行で整食法もはじめました。

整食法は内臓をサポートする食事法で、ダイエットが目的ではないのですが、ダイエット効果は想像以上。元気になりたいと思ってはじめたのに、気がつくと1週間で1キロは確実に体重が落ちていくのです。3か月で10キロ。その後、時間をかけてさらに8キロ。長いこと望んでいたダイエットが思いもかけずにおまけで手に入ったような感覚！

いままでは、食べないと元気にならないと思って食べてきたのですが、必要以上に食べることは、5キロの洗濯機にいつも洗濯物を7、8キロ入れて消耗を早めるようなもので、害のほうが大きいことがわかりました。

食べ過ぎによる疲労というものがどれだけ自身をむしばんでいたかが、頭でなくカラダでわかったのです。

そう、食べ過ぎて調子が悪いカラダを私自身が作ってきただけ……、と。

自力整体・整食・整心法を考案された矢上先生の言葉が、いつも私にささやいています。

「いまのあなたのカラダは、あなたが作った生活発表作品。いまのあなたのカラダは、あなたが食べたものが物質化したもの」

自力整体に出会えてよかったと感謝せずにはいられません。

中村佳津子

・7

痛みが消えました！

山口県下関市　松本公子さんより

私は、10歳のときに自分の不注意から足首を骨折する大ケガをしてしまいました。また、そのときに受けた治療が悪く、骨がズレたまま固まって成長し、ケガをした左足首の外側のくるぶしが変形しています。

子供の頃の私は、外で遊ぶことが大好きな、活発で生傷の絶えないお転婆《てんば》でした。でも、大きなケガはそれまでしたことがなかったので、「ここまで病気やケガもさせないできたのに……」と母親を嘆かせてしまいました。

しかし、親とはありがたいものです。私がケガをしたことを、まるで自分の責任であるかのように、よい治療をするところがあると知ると、どんなに遠くでも連れて行ってくれました。

しかし、変形した足はもとには戻りませんでした。

それでもふつうの日常生活には支障なく、スポーツもずっとやってきました。

ただ脚を酷使したり、梅雨の時季の湿気が多いときや、寒い時季には足首が熱を持ち、ズキンズキンと痛むのです。あまりに痛むときは病院へ行き、ハリ治療や湿布、サポーターでの固定などを施し、痛みを抑えてきました。その足をかばうことからヒザ痛など、他の部分の痛みがでることがときどきあり、整体治療、カイロプラクティックなどの治療をしてきました。

これは、足首から先を切り落としてしまいたいほどの痛みです。

その後、自力整体をはじめて5か月くらいたったとき、その痛みがでなくなりました。

最初はなぜ痛まないのか理由がわかりません。矢上先生の本を読んでも、腰痛、ヒザ痛などのカラダの症状が改善されるということしか載っていませんでした。

しかし、自力整体を続けていくうちに、自分の「気」のめぐりがよくなったのだと理解できました。

変形した足首はもとには戻らないけど、痛みからは解放されました。脚を酷使したり、重く感じられるときは脚のケアとして、外もののマッサージをするとラクになるのです。

また、自力整体はカラダの変化だけではなく、ココロの変化ももたらしてくれました。そのため何事もあるがままに受け入れようと考えられるように。穏やかに、人生を楽しんで生きることの素晴らしさを知り、いつもニコニコ顔で、ますます「気」がめぐるカラダでいられます。

自力整体にめぐりあうきっかけは、人によってさまざまですが、この縁にココロから感謝してこれからも続けていきます。ありがとうございます。

松本公子

8

大阪府岸和田市　山本昌代さんより

カラダもココロもラクに……

自力整体をはじめて5年と少し経ちます。最初に実技を受けたときには正直、いまいちピンときませんでした。

でもその日の午後からすごく眠くなってきて、これはいままでにない感覚、カラダの力が抜けたように「効いてるんだぁ……」って感じて、翌日もスッキリ。もう次の教室の日が待ち遠しくなっていました。おかげでココロもカラダもほぐされ、その気持ちの変化によるカラダの改善もいろんなところで見られました。とくに「手首ほぐし」（79ページ参照）がとても心地よく、私の好きなカリキュラムのひとつになっています。

個人的意見としてですが、自力整体はまさにスルメのような感じ。回を重ねるごとに味がでてきて虜《とりこ》になります。継続することでまず体温が上昇し、カラダの末端とおなか・お尻・腰回りといった冷えやすい部分が温かくなり、生理がなかなかこないという悩みが解消されました。

さらに、すぐに疲れるという体質でしたが、いまでは歳を重ねるごとに疲れ知らず!?　というか、体力がついています。カラダの緊張や力みが入らなくなったからだと私は思っています。

またココロの変化としては、食のコントロールができないという悩みを長年抱えていました。これは、ココロと大きく関係していると感じています。自力整体をはじめてからもしばらく食のコントロールはできませんでした。でも実技をしてすごくカラダがほぐれてスッとラクになり、なんともいえない心地よさを味わっているうちに自然とココロも満たされていたことに気づいたのです。すると、自然に食への執着心が消えていました。カラダが発する声を聞けずに感情的に食べていたこれまでの自分が、カラダ本来の声で食べられるようになったのです。いま思えば、自力整体のおかげで心身ともにラクになって、いろいろなことが許せるようになり、私のココロのスペースが大きくなったのではと、おこがましくも感じています。

もちろんいまでも、ネガティブな感情になってしまうときだってありますが、人間だから当たり前よ！と、そのまんまの自分を大切にしてます（抵抗せずに）。

みなさんもぜひ、自力整体をお試しください。オススメですヨ。

山本昌代

9

立ち上がるのも歩くのも もうまったく平気に！

東京都八王子市　樋口好子さんより

自力整体と出会い、自力整体を知ることで得た喜びは、とてつもなく大きなもの。だからこそ、それをどこかでお伝えしたいと思っていました。

　私が自力整体をはじめて以来、結果（途中経過？）としては、まず体重が落ちました。ウエスト10センチ、ヒップ8センチ、太もも回りでは7センチも細くなりました。いままでは絶対履《は》けないと思っていたスリムなパンツが入ってしまうこの嬉しさ！　なんて表現したらよいのでしょう。

　もとはといえば、山歩きなどをひんぱんにして左ヒザを痛めたことがはじまりでした。

　最初はお医者さんにいわれたとおりに湿布をしたり、電気治療を試したり。それでもなかなかよくならず、ついには立ち上がるときの痛みがひどくて、しばらく動けない状態になってしまうこともあったのです。

　ふだんでも歩くことさえままならず、自分の脚ではないようにギクシャクとして、まるでロボットのようでした。

　まだこれからいろいろと楽しいこと、やりたいことがたくさんあるのに、情けないやら悲しいやら……。

これはもう、人にどうにかしてもらおうと思うのではなく、自分でどうにかするしかないと考え、まずは整体院へ行って骨盤のゆがみを治してもらいました。

　そこでいわれたのは、「左右の脚の長さの違いと、O脚で下半身に水が溜《た》まっている」ということ。

　でも自分ではなにをすればいいのか……。そんなとき、友だちの部屋にあった「自力整体」の本が目にとまったのです。

　まずは思い立ってCDを聞きながら、自分なりにやってみました。

　すると、「え？　こんなところも私のカラダだったの？」と気づくのです。不思議な感覚でした。

　いままで意識したこともなかった自分のカラダの各所が、「もう少しやって！」「気持ちいいよ！」「あんまり引っぱらないで!!」と応えてくれているようでした。

　これが快感を覚えたきっかけです。

　たぶん、もうやめられません。なぜなら、その日からほぼ毎日続けているため、すっかり脚の状態も回復したのですから。もちろん、立ち上がるときも歩くときも痛みはありません。

　もうそろそろ自力整体をはじめてから一年になりますが、手足がポカポカしたり、股関節《こかんせつ》がやわらかく開いていく感じがまた気持ちよくて嬉しくて！

　いつも楽しみながら行ってます。

樋口好子

・10

大阪府豊中市　秋山あゆみさんより

入退院を繰り返す生活とオサラバしました

私は産まれて7か月のときに48日間保育器のなかで育ち、その後も入退院を繰り返すという生活をしていました。

お医者さんからも、「この子は20歳まで生きられないだろう」といわれ、白い壁の病院が私の家に。

それでもお医者さんのおかげもあって、なんとか結婚もでき、2人の子供にも恵まれました。が、白い壁での生活は相変わらずで、最初の妊娠時、妊娠中毒症で25キロも太りました。その後16キロは落ちたものの、10キロ増のまま2人目を出産。おデブ生活のはじまりです。

授乳室から戻るときには一歩も足が前にでなくなり、整形外科へ回されて「椎間板《ついかんばん》ヘルニア」と診断されました。その後10年余り、ありとあらゆる病院、治療施設へ通いました。でも、痛みが治まることはありません。

高額な治療費に追われ、パートにでては動けなくなるという日々です。

そんなある日のこと、先生の本と出会い、近くの教室で自力整体を体験しました。教室が終わったとき、ビックリするくらい腰がラクになったのです。

なぜ？

これが、はじめての自力整体の体験です。

それ以来、自力整体を続けながら、先生にいわれたとおり朝は水分に変え、ライ麦パンを昼と夕に半分ずつ食べ、夜6時以降はまた水分にして空腹で寝る生活にしました。そうしたら3か月で7キロ減り、6か月目には13キロ痩《や》せて、ほんとうに近所の人が、私だということに気づかないくらい体型が変化していました。いろいろなダイエットを試しても全然落ちなかった体重が、です。

それに加えて体調も少しずつラクになっていったのです。

先生は、「ストレスがかかっている状態では痩せない」と教えてくれました。これは、ココロがカラダの状態を大きく左右するものだという大きな発見でした。

そしてその後、ナビゲーター研修に参加したときに、これまで自分で「体が弱い、腰が悪い」といっていたからよくならなかったんだと気づきました。

トータルで家が買えるくらいかかっていた病院代がなくなり、ケガもせず、自然体でゆったりと構えられる性格に変わりました。

カラダが軽くなるとココロも軽くなり、姿勢がよくなり、若く見られ、人間関係までよくなりました。次々にいいことが起き、いまはじめて健康体になれました。

これからも自力整体・整食・整心法にはげみ、誕生日ごとに若返る、そんな楽しみを伝えられるナビゲーターへと成長していきたいと思っています。

秋山あゆみ

矢上予防医学研究所の案内

矢上予防医学研究所は遠隔地の方のために、健康学習プログラムを通信教育にて提供しています。

内容は、2か月に一度の『自力整体　整食　整心　通信』の発行と、自力整体、補助整体法、おかゆ合宿（滞留便排泄合宿）、視力回復合宿、ナビゲーター養成などの各種研修の案内を行っています。

通信教育をご希望の方は、郵便局で郵便振込用紙に「01190-0-65640　矢上 裕」とお書きになり、年会費3000円を添えてお申し込みください。

奇数月の第1週目に『自力整体　整食　整心　通信』を郵送します。そしてこの通信の中で上記の各種研修の募集をしています。

矢上予防医学研究所　提携施設

①琵琶湖ペンションマキノ（滋賀県）☎0740-27-0111

おかゆ合宿（滞留便排泄合宿）や視力回復合宿、自力整体・整食・整心法の研修などを行っています。

②自力整体ビデオライブラリィー　協栄ビデオ（兵庫県）☎0798-23-3653

カリキュラムが変わる春の4月と秋の10月に、通信会員のために矢上裕の教室の授業をビデオに収録し、希望者に提供しています。妊婦のための安産自力整体などもあります。

③ライ麦パン製造・発送　エーゲン（兵庫県）☎0798-64-2359

滞留便を排泄する乳酸菌入りのライ麦パンを販売し、遠隔地の方へは発送しています。

④低農薬玄米、納豆の製造直売　せりた（秋田県）☎0185-45-2356

通信会員のために、秋田の農家に玄米や納豆の生産と、遠隔地への発送を依頼しています。

詳しくはホームページ　http://www17.ocn.ne.jp/~serita/

ナビゲーター（指導員）一覧

2008年3月20日現在

※下記の指導者は、定期的に著者のナビゲーター研修を受講し、自力整体を正確に指導しています。
※病気や症状の相談は受けていません。教室に関する問い合わせのみお願いいたします。
※教室所在地は教室名ではなく所在地域を表記したものです。詳細につきましては直接お問い合わせください。

	教室所在地	電話番号	ナビゲーター
北海道			
	札幌市西区琴似３条、西区２条	011-611-1877	杉村玲子
	北見市高栄西町	0157-25-3382	鈴木智子
青森県			
	八戸市新井田常光田	0178-25-9209	まついけいこ
岩手県			
	盛岡市本宮小幅	080-5227-7415	片石美伊子
秋田県			
	秋田市飯島新町	018-846-9479	斉藤弥生
	遠野市、北上市、盛岡市	080 6030-2085	佐々木由紀子
	秋田市土崎、泉、大町	018-873-4557	野々村晴美
福島県			
	須賀川市、郡山市	0248-73-3213	佐藤毅一郎
宮城県			
	気仙沼市四反田	0226-22-0801	小山宗久
群馬県			
	太田市、邑楽郡大泉町	0283-24-8583	石丸陽子
	太田市大原町	0277-20-4788	上野芳弘
	前橋市関根町、紅雲町、日吉町、高崎市榛名町	027-233-6215	関崎典子
	太田市新田木崎町	0276-56-6318	中島美香
栃木県			
	佐野市、足利市、小山市	0283-24-8583	石丸陽子
	宇都宮市若草、元今泉、馬場通り、上戸祭町、五代、小山市土塔、芳賀	090-1665-9080	岩村智恵
	宇都宮市鶴田町、不動前、塩谷郡高根沢町	028-647-0755	片山純子
	宇都宮市泉が丘、竹林町、平出	028-661-2477	亀田靖子
	足利市家富町、朝倉町、大月町、佐野市小中町	0284-41-6225	川原圭一郎・幸江
	下野市医大前、下都賀郡壬生町	0282-86-3368	後藤節子
	宇都宮市若草、日光市文挟町、今市	0288-27-1889	鈴木克代
	日光市板橋	0288-27-1438	船生安子
茨城県			
	土浦市、つくば市、稲敷郡阿見町、谷田部	029-824-3820	阿部京子
	かすみがうら市稲吉	0299-59-6084	尾野宏子
	土浦市、牛久市、守谷市、取手市、日立市	090-3502-6692	風間陽子
	つくば市二の宮、茎崎、龍ヶ崎市松葉	080-1011-3720	田川こづえ
	土浦市木田余、つくば市竹園町、茎崎、花畑、石岡市東町	090-1659-5716	中村博美
	土浦市大畑、神立中央	029-832-2159	浪岡浩子
埼玉県			
	上尾市大谷本郷、藤波	090-4921-8280	新井美枝子・萩原直子
	さいたま市浦和区北浦和	080-1907-9066	甲斐弘香
	鳩ヶ谷市桜町、坂下町、本町	028-647-0755	片山純子
	蓮田市下蓮田	090-2533-1993	工藤仁美
	川越市、坂戸市、さいたま市南浦和、越谷市南越谷	049-233-4839	小林淑江・俊考
	北本市栄	048-592-4436	佐藤由美子
	越谷市、三郷市、草加市、八潮市、さいたま市	090-8311-4072	島袋朗・紀國なつみ・保坂花野
	さいたま市緑区、桜区、蓮田市、北本市	048-873-7543	酒本博子
	熊谷市佐谷田、本石	048-524-6702	関真由美
	上尾市藤波、大谷本郷	090-4608-9889	萩原直子・新井美枝子
千葉県			
	東金市東岩崎、福俵、日吉台	0475-52-6017	石塚澄子
	松戸市	090-8311-4072	島袋朗・紀國なつみ・保坂花野
	千葉市中央区新宿、緑区、若葉区、ＢＩＧ－Ｓ千城台	043-295-7443	鈴木照子

教室所在地	電話番号	ナビゲーター
千葉県（つづき）		
市川市南行徳、船橋市夏美、松戸市八柱	090-1452-8233	鈴木裕子
千葉市美浜区、中央区	090-4170-3331	田中千代
東金市東新宿	0475-55-2682	田中美由紀
四街道市、市原市惣社、海保、牛久	080-3410-2672	真栄城克子
千葉市中央区、市原市門前	0436-92-5851	真栄城啓吾
木更津市、君津市	0438-22-4210	山崎康美
東京都		
新宿区早稲田	090-9369-4014	池口公治・山田加奈子
府中市府中町、住吉町	042-364-6069	岡田由貴子
多摩市聖蹟桜ヶ丘	042-371-9172	押見朋子
武蔵野市吉祥寺、国分寺市、中野区	0422-37-1457	神谷芳美
多摩市鶴牧、八王子市松木	042-339-3029	小池麗子
練馬区大泉学園、中央区日本橋人形町	080-3488-8770	斎藤伸子
町田市森野	042-728-0878	櫻木五美
八王子市横川町、南大沢、川口町、大和田町	042-625-3232	佐野和美
目黒区学芸大学、自由が丘	090-4672-6302	重本ちなみ
八王子市子安町	042-646-3303	柴山恵美子
足立区	090-8311-4072	島袋朗・紀國なつみ・保坂花野
立川市幸町、立川駅前	042-536-1273	関口素男
練馬区練馬、石神井	03-3999-7433	田中幹子
文京区本郷、大塚、大塚北、目白台	090-4179-0229	永正健三
目黒区中目黒	03-3791-8936	西渕典子
渋谷区千駄ヶ谷	078-764-1980	本庄典子
千代田区飯田橋、練馬区光が丘、板橋区上板橋、豊島区池袋、要町、 港区青山、新宿区市谷	090-3067-3376	増田紘子
杉並区高円寺	03-5373-7367	松嶋笑子
品川区大井町、世田谷区桜新町、駒沢	03-6273-2995	本村美恵子
神奈川県		
相模原市並木、小田急相模原駅前	090-4205-3424	荒川百合子
川崎市麻生区	090-9369-4014	池口公治・山田加奈子
横浜市戸塚区上倉田町、旭区市沢町	090-2300-0783	今西清美
鎌倉市深沢、藤沢市、横浜市鶴見区、星川	0466-82-1171	内田十糸子
秦野市千村	0463-87-4054	梅本愛子
相模原市橋本、町田市成瀬、大和市つきみ野	090-1739-5222	鈴木弘美
港北区新横浜、磯子区杉田	090-2425-7807	高岡えい子
逗子市小坪	046-871-6713	高野容子
小田原市鴨宮、小田原駅前	0465-24-1830	戸辺裕子
小田原市早川	0465-24-1830	戸辺容子
鎌倉市大町	0467-24-8425	仲澤美佐緒
横浜市鶴ヶ峰、金沢文庫	03-3791-8936	西渕典子
川崎市溝の口、横浜市あざみ野、大和市つきみ野	080-5084-5899	藤林優子
横浜市藤が丘、大和市つきみ野、中央林間、町田市つくし野、原町田	046-293-7320	村上郁子
神奈川区大口、港北区菊名、瀬谷区瀬谷、戸塚区戸塚、青葉区青葉台、 磯子区岡村、多摩区稲田堤、南区弘明寺	090-6569-4142	山本修子
横浜市戸塚区、港南区、金沢区	070-6472-7182	横溝怜子
逗子市、横須賀市東長浦、田浦、安針台、二泉町	0468-61-2253	米田順子
港南区丸山台	045-841-9415	和田武宗
静岡県		
浜松市北区初生町	053-436-4490	青木正子
静岡市葵区	078-997-0067	海野る美
伊豆市天城、湯ノ国、伊豆の国市北江間、駿東郡長泉町	0558-87-1191	菊地美佐子
静岡市清水区	080-3488-8770	斎藤伸子
静岡市葵区東草深町、末広町	054-252-4584	田中光子
浜松市富塚町、浜松駅前	053-482-0204	寺村きよ美
志太郡大井川町	054-622-8190	八木千恵子

教室所在地	電話番号	ナビゲーター
長野県		
飯田市、松本市	090-4138-2144	佐々木謙一
上田市常入	0268-23-0171	佐藤淑江
下高井郡木島平村	0269-82-3172	行方光子
富山県		
黒部市	0765-52-1933	稲田清美
射水市、小矢部市	0766-67-0228	大沼勝・明子
富山市稲荷元町、水落、新総曲輪、黒崎、今泉	076-433-5510	金木和香子
小矢部市後谷、五郎丸、高岡市下伏間江	0766-68-0563	藤本雅明
高岡市、射水市、砺波市	090-2036-8579	吉田麗加
富山市有沢	076-491-4270	渡辺由美子
石川県		
金沢市野町、野々市町、津幡町	0766-67-0228	大沼勝・明子
金沢市武蔵町、十間町、河北郡津幡町	090-3885-8713	杉田陽子
金沢市香林坊、額谷、志賀町	0766-68-0563	藤本雅明
福井県		
敦賀市市野々町	0770-22-6533	岩井順子
岐阜県		
本巣市	070-5657-8558	安達実保
高山市	090-4138-2144	佐々木謙一
羽島市正木町	058-392-1971	虫賀正男
愛知県		
豊橋市石巻町	090-2610-8507	鈴木香澄
名古屋市中区栄、錦、橘、中村区太閤、昭和区広路町、宮東町	090-1861-6822	土田晶子
小坂井町小坂井中野、宿光道寺	0533-78-3748	橋本千春
豊田市加納町、梅坪町、永太郎町	0565-80-2038	畑裕子
常滑市新開町、半田市岩滑	0569-34-4184	松本君代
岡崎市藤川荒古	090-2927-2475	吉平美也子
名古屋市南区道徳	052-691-5502	渡辺カリン
江南市赤童子町桜通	0587-55-9395	渡邉百合子
三重県		
紀宝町成川	0735-22-4183	岩上恵子
桑名市新西方、西別所	0594-24-3294	加藤眞千世
伊勢市船江、常照寺、修養団	0596-22-3226	杉山華乃美
鈴鹿市稲生こがね園、津市久居寺町	059-386-5458	田島紀代子
和歌山県		
新宮市王子町	0735-22-4183	岩上恵子
岩出市今中	0736-62-8732	高尾三英子
京都府		
京都市中京区、下京区、北区	070-5657-8558	安達実保
京都市上京区、木津川市加茂、城陽市寺田	0774-55-1282	伊藤由紀子
城陽市寺田、宇治田原町	090-7350-7259	川上文子
京都市丹波橋、伏見大手筋、京都駅前、宇治、河原町五条、太秦、四条西院	075-561-7099	久保田素子
京都市丹波口、桂、桂坂、桂駅西口	075-333-1297	中西睦子
長岡京市	090-3658-1655	福井千景
綾部市位田町	0773-47-0575	山本朝子
滋賀県		
伊香郡余呉町中之郷	0749-86-3062	丹治より子
犬上郡多賀町久徳	0749-48-0333	中居あつ子
彦根市	0749-42-4340	中村敦子
東近江市	090-7765-5635	西村静枝
彦根市河原	0749-48-1474	平尾沙惠
大津市	077-564-8121	山下真砂子
大阪府		
岸和田市	0798-64-8717	秋田葦飛山
豊中市東豊中町、東泉丘町、堺市新金岡町	06-6843-2303	秋山あゆみ
大阪市生野区新今里、北区中崎	0797-71-9228	池永恭子

教室所在地	電話番号	ナビゲーター
大阪府（つづき）		
貝塚市畠中、高石市羽衣	072-464-7401	井上由美子
八尾市南小阪合町	090-4105-5596	大野みさ子
和泉市いぶき野、堺市中区深井中町	050-1169-7640	金谷千惠
大阪市西成区梅南、大阪狭山市	06-6653-4960	木村要
大阪市東成区東小橋、東淀川区東淡路	06-6977-1455	金京子
大阪市都島区、城東区、旭区	06-6921-2140	澤谷日彌子
豊中市曽根駅前、曽根東、庄内	06-6865-5052	白田雅子
堺市新金岡、大阪市北区天元、淀川区十三、野中、阿倍野区上本町	090-4642-3875	辰野幸
大阪市西淀川区、柏里、加島	06-6472-2960	寺澤和代
大阪市中央区法円坂、北区天神橋	06-6973-5445	なかがわみよこ
吹田市	090-3658-1655	福井千景
枚方市楠葉並木	090-9281-9504	別所りか
交野市、茨木市、摂津市安威川、八尾市	06-6951-5625	槇得義文・淳子
岸和田市西ノ内町、大東市末広町	072-443-5069	三谷葉津子
岸和田市、磯上町、東岸和田、泉南郡田尻町、リンクウ	072-437-1418	山本昌代
東大阪市	06-6720-5001	吉田惠美子
枚方市京阪牧野駅前、長尾駅前	090-6249-0487	吉松紀子
東大阪市四条町	090-1593-6069	渡邊隆雄
兵庫県		
西宮市	0798-64-8717	秋田崋飛山
宝塚市宝塚南口	0797-72-7388	飯間正巳・郁容
宝塚市武庫山、西宮市甲子園	0797-71-9228	池永恭子
芦屋市平田町、前田町、神戸市東灘区、堺市北区	090-2016-8207	いながきみき
神戸市板宿、柳原えびす神社	080-3766-3953	稲本陽穂
西宮市森下町、高松町、甲子園口、大社町、神戸市東灘区本山南町	090-1670-0871	植中優子
神戸市長田区、西区	078-997-0067	海野る美
三田市	079-565-0776	岡本早苗
加古川市	079-427-5572	小西直美
神戸市長田区、兵庫区、灘区、尼崎市武庫之荘、塚口、三木市志染	090-8207-0491	清水克易
西宮市高須町	090-1294-8186	杉岡大輔
三田市フラワータウン、三輪神社、神戸市北区岡場、星和台、宝塚市市役所前	078-984-3227	高野謙二
西宮市下大市東町	080-6185-1947	武居ミツ子
伊丹市	090-4642-3875	辰野幸
神戸市須磨区友が丘、長田区池田	078-583-8731	田中隆男
川西市小花	072-759-6686	田部貴子
加古川市野口町野口、姫路市西延末	090-6671-8460	時田信子
小野市、高砂市小松原、曽根町	0794-62-7655	内藤須美子
姫路市白浜町、加古川市平岡町、相生市旭、加古郡稲美町	090-4030-1110	名田路子
芦屋市、西宮市苦楽園、神戸市東灘区青木	078-764-1980	本庄典子
神戸市須磨区、垂水区	090-8791-4256	前田美香
姫路市西飾磨、福崎町	090-8125-8769	松本さとみ
神戸市東灘区住吉、西区竹の台、垂水区青山台	078-997-6304	宮野恭子
神戸市垂水区舞子駅前、狩口台、新長田駅南、名谷駅前	078-782-8677	森寺悦子
神戸市元町通、西宮市里中町	0798-49-2798	山西政子
神戸市垂水区狩口台	078-782-7148	横山シゲ子
神戸市西区竹の台、伊川谷、加東市北野、西脇市野村	090-6053-7438	若水順子
神戸市長田区蓮池町、東灘区住吉南町、須磨区戎町	078-621-6111	和田陽子
奈良県		
天理市二階堂、橿原市、宇陀市榛原区	090-7350-7259	川上文子
香芝市	06-6653-4960	木村要
大和郡山市長安寺町	0743-56-3763	坪内純子
磯城郡田原本町	090-4030-1110	名田路子
生駒市壱分町	090-9165-9153	林里奈
生駒郡	06-6720-5001	吉田惠美子
岡山県		
岡山市一宮、高松、旭東、当新田、菅野、御津、建部、赤磐市中央、西山	0867-24-1670	山本安美

教室所在地	電話番号	ナビゲーター
広島県		
東広島市西条、高屋、広島市東区温品、福田、中区八丁堀	082-434-5005	豊柴博文
福山市東川口町、西町	090-7893-1686	濱上恵美
広島市西区井口、井口鈴が台	082-277-3109	平田千恵子
山口県		
下関市豊浦町川棚	090-9134-9969	武井利恵子
下関市唐戸	0832-52-2540	松本公子
愛媛県		
西条市若葉町、禎瑞	0897-55-6304	菊池ひとみ
宇和島市新町	0895-25-4051	土居生依
松山市久米	090-7624-9738	長尾明子
伊予郡砥部町、松山市宮西	090-9453-3900	丸山弘美
松山市千舟町、伊予市米湊	089-951-6634	三好佳子
松山市持田町、本町、古川、南梅本町、東温市	089-935-4133	村上真智子
新居浜市高木町、徳常町	0897-34-1162	森冨美子
伊予郡砥部町、松前町、松山市大手町、宮西、本町、古三津町、衣山、森松町、松山駅前、古町駅前	090-8287-5990	森岡泰子
松山市南久米町、西垣生町、東温市下林、西岡、伊予市中山町	090-4970-3386	山野愛子
宇和島市津島町、住吉町	0895-32-2935	和田元義
今治市南宝来町、西条市神拝甲	0897-57-7038	渡辺栄子
徳島県		
徳島市	090-9554-0878	豊田明美
徳島市上八万町、八万町内浜、応神町、田宮、幸町、吉野川市鴨島町	090-7570-7721	森口登志子
香川県		
仲多度郡多度津町	090-4339-9984	大塚眞知子
高松市上天神、尾島西町、綾川	090-3784-3353	尾崎美砂子
高松市古新町、浜ノ町、丸亀市塩飽町、亀井町	087-822-8378	中村幸子
高知県		
高知市高須新町、南国市片山	088-885-1070	森部侑恵
福岡県		
筑後市尾島、羽犬塚	090-4105-5596	大野みさ子
福岡市南区大橋、中央区天神	090-9726-5405	木原まつこ
筑紫郡那珂川町	090-7535-9118	相良智津子
北九州市	0979-24-1503	高松恭子
福岡市南区大橋、博多区川端、春日市昇町、小郡市三国	090-9474-5404	田中弦子
福岡市中央区天神、博多区川端	090-7987-3792	中村佳津子
糸島郡二丈町	092-326-5007	結城千秋
宗像市日の里	0940-37-3462	和田奈穂子
大分県		
大分市日岡、南大分、公園通り西、別府市上田の湯町	090-2397-6171	塩月邦洋
中津市、日田市	0979-24-1503	高松恭子
熊本県		
上益城郡嘉島町、熊本市水前寺公園、武蔵丘	090-8354-0877	亀井弘子
宮崎県		
宮崎市大淀、鶴島	0985-24-9912	葛原知子
宮崎市大淀	0985-58-0060	西田幹子
鹿児島		
大島郡知名町新城	0997-93-4706	沖野マスノ
鹿児島市谷山、日置市日吉町、吹上町	099-296-4984	嘉数進
鹿児島市西田、田上台	099-264-5646	南スミ子
鹿児島市城山、霧島市国分向花	080-5214-5897	山元とも子
沖縄県		
島尻郡南風原町	090-1943-2297	中村さとみ
那覇市首里石嶺町、繁多川	090-9571-5933	宮城末子

● 著者プロフィール

矢上　裕（やがみ　ゆう）

1953年、奄美大島で生まれる。関西学院大学2年のとき、予防医学の重要性に目覚め中退し、鍼灸の道に進む。鍼灸院開業中、自力で経絡を調整する「自力整体・整食・整心法」の原型である経絡調整体操を考案。さらにヨガ、断食、整体を学び「自力整体・整食・整心法」を完成。

現在、関西で自力整体・整食・整心法教室を指導している。さらに遠隔地の人のために通信誌「自力整体・整食・整心法通信」（122ページ参照）を郵送し、定期的研修や合宿などのスクーリングを行っている。

「矢上予防医学研究所」所長。

主な著書

『自力整体』『自力整体整食法』『自力整体脱力法』『DVDで覚える自力整体』『自力整体の真髄』（いずれも新星出版社）、『からだあったか　おなかすっきり　女性のための自力整体』（永岡書店）、『足腰、ひざの痛みを治す　自力整体法』（農村漁村文化協会）、『痛みとストレスがみるみる消える！　自力整体入門』（PHP研究所）など多数。

DVD付 キレイにやせる自力整体《じりきせいたい》

著　者　矢　上　　裕
発行者　富　永　靖　弘
印刷所　慶昌堂印刷株式会社

発行所　東京都台東区台東４丁目７　株式会社 新星出版社
〒110-0016 ☎03(3831)0743 振替00140-1-72233
URL http://www.shin-sei.co.jp/

ISBN978-4-405-09163-4